O MITO DA CAVERNA

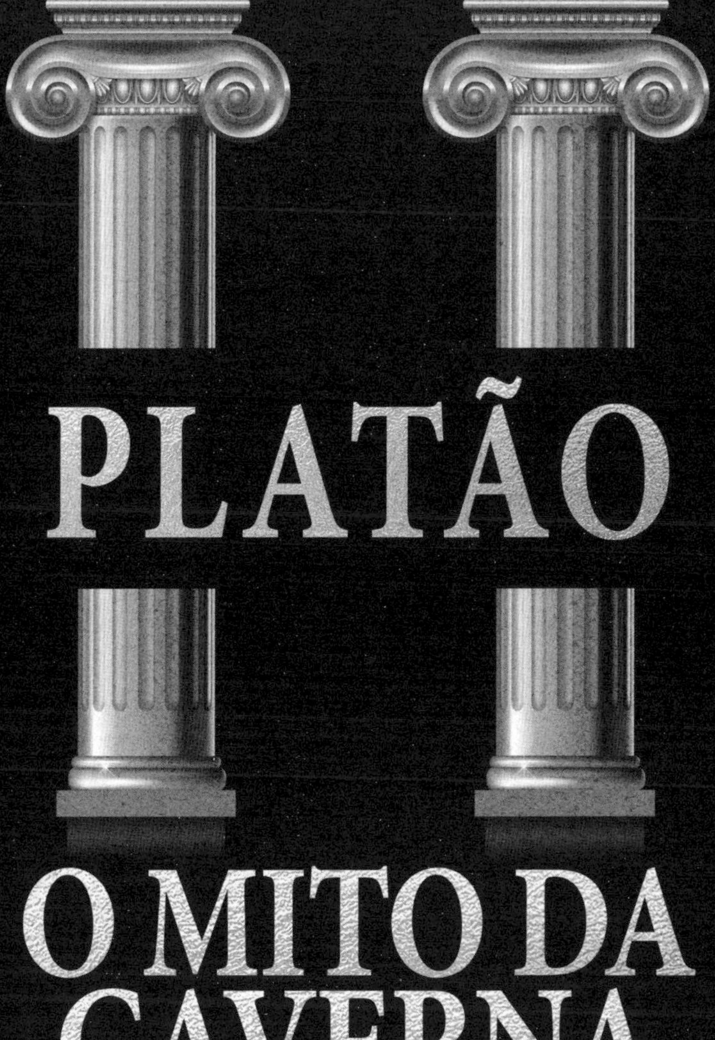

PLATÃO

O MITO DA CAVERNA

EDIÇÃO COMENTADA
CLÓVIS DE BARROS FILHO
DECIFRA ESTA QUE É UMA DAS MAIS IMPORTANTES OBRAS DE TODOS OS TEMPOS, LANÇANDO UMA LUZ SOBRE O DUALISMO PLATÔNICO

A Alegoria da Caverna ou O Mito da Caverna de Platão: "Pense em homens confinados numa caverna, dotada de uma abertura que permite a entrada de luz em toda a extensão da parede maior. Fechados nela desde a infância, acorrentados por grilhões nas pernas e no pescoço que os obrigam a ficar imóveis, podem olhar para a frente, visto que as correntes no pescoço os impedem de virar a cabeça. Atrás e sobre eles, brilha, a certa distância, uma chama. Entre esta e os prisioneiros, delineia-se uma estrada em aclive, ao longo da qual existe um pequeno muro, parecido com os tabiques que os saltimbancos utilizam para mostrar ao público suas artes".

CONHEÇA NOSSOS LIVROS ACESSANDO AQUI!

Copyright desta tradução © IBC - Instituto Brasileiro De Cultura, 2022

Título original: The Allegory of the Cave, by Plato (do Livro VII de The Republic of Plato)
Reservados todos os direitos desta tradução e produção, pela lei 9.610 de 19.2.1998.

3ª Impressão 2025

Presidente: Paulo Roberto Houch
MTB 0083982/SP

Coordenação Editorial: Priscilla Sipans
Coordenação de Arte: Rubens Martim (capa)
Tradução e preparação de texto: Fábio Kataoka
Diagramação: Rogério Pires
Revisão: Aline Ribeiro

Vendas: Tel.: (11) 3393-7727 (comercial2@editoraonline.com.br)

Foi feito o depósito legal.
Impresso na China.

**Dados Internacionais de Catalogação na Publicação (CIP)
(eDOC BRASIL, Belo Horizonte/MG)**

P716m Platão.
    O mito da caverna / Platão. – Barueri, SP: Camelot, 2021.
    15,5 x 23 cm

    ISBN 978-65-87817-82-8

    1. Filosofia antiga. I. Título.
    CDD 184

Elaborado por Maurício Amormino Júnior – CRB6/2422

IBC — Instituto Brasileiro de Cultura LTDA
CNPJ 04.207.648/0001-94
Avenida Juruá, 762 — Alphaville Industrial
CEP. 06455-010 — Barueri/SP
www.editoraonline.com.br

SUMÁRIO

Prefácio 9

Introdução 13

PARTE 1
Livro 7, de *A República* 23

PARTE 2
Livro 8, de *A República* 71

PARTE 3
Livro 9, de *A República* 124

Comentários 171

PREFÁCIO

O *Mito da Caverna* é uma alegoria que faz parte da obra intitulada *A República*, de autoria do filósofo grego Platão. A ideia central dessa alegoria é mostrar como o ser humano pode se libertar da condição de escuridão, que o aprisiona, por meio da luz da verdade. Para isso, o filósofo discute sobre teoria do conhecimento, linguagem e educação em um estado hipotético.

Essa alegoria é exposta após a analogia do sol e a analogia da linha dividida. Nessa metáfora, a caverna representa o mundo visível da nossa experiência cotidiana, no qual tudo é imperfeito e muda constantemente. Os prisioneiros acorrentados simbolizam as pessoas comuns que vivem num mundo de ilusões. O prisioneiro, liberado para explorar a caverna, consegue ter uma visão mais próxima da realidade.

O texto fala de indivíduos acorrentados, que não podem se mexer, obrigados a olhar apenas para a parede do fundo da caverna, sem conseguir ver uns aos outros ou a si próprios. São pessoas que nasceram e cresceram ali. Há uma fogueira, separada por uma parede baixa, e por trás dela passam pessoas carregando objetos que representam homens e outros seres vivos. As pessoas andam por trás da parede de forma que os seus corpos não projetam sombras. As sombras são apenas dos objetos que carregam.

Os prisioneiros não podem ver o que acontece atrás deles e enxergam apenas as sombras que são projetadas na parede em frente a eles.

Pelas paredes da caverna também ecoam os sons que chegam de fora, de modo que os prisioneiros, associando-os às sombras, acham que são falas delas. Desse modo, essas pessoas concluem que as sombras são a realidade.

Platão, sob a influência de Sócrates, procurava a essência das coisas para além do mundo visível. E o personagem da caverna, que por acaso se liberta, corre como Sócrates, o risco de ser morto por expressar seu pensamento e querer mostrar um mundo totalmente diferente.

Imagine que um dos prisioneiros seja libertado e forçado a olhar o fogo e os objetos que faziam as sombras, que simbolizam uma nova realidade, um conhecimento novo. A luz iria ferir os seus olhos e ele não poderia ver direito. Se lhe dissessem que o presente era real e que as imagens que anteriormente via não eram, ele não acreditaria. Na sua confusão, o prisioneiro tentaria voltar para a caverna, para aquilo a que estava acostumado e podia ver.

Se ele voltasse para a caverna para contar aos outros confinados a situação extremamente enganosa em que se encontravam, os seus olhos, acostumados à luz, ficariam cegos devido à escuridão, assim como tinham ficado cegos com a luz. Os que nunca saíram da caverna concluem que sair da caverna tinha causado graves danos ao companheiro e, por isso, não deveriam sair dali nunca.

É como se você pensasse durante toda sua vida que o mundo era de certa maneira, e um dia alguém lhe dissesse que quase tudo aquilo é mentira e tenta lhe mostrar novos conceitos, completamente diferentes. Foi por uma situação assim que Sócrates foi morto pelos cidadãos de Atenas, inspirando Platão a redigir *O Mito da Caverna*.

Platão nos leva a imaginar como seria a existência humana se as coisas acontecessem como na situação da caverna. A partir deste texto, podemos fazer uma boa reflexão e nos aprofundarmos em valores filosóficos fundamentais.

É um diálogo imaginário de Sócrates com Glauco, que são irmãos mais novos de Platão. Mostra a visão de mundo do ignorante, que vive de senso comum, e do filósofo, na sua eterna busca da verdade.

Complementando o livro 7, apresentamos nesta publicação também os livros 8 e 9 de *A República*. Nesses trechos, Platão mostra como a cidade ideal se degrada, dando espaço à tirania.

Platão. Desenho de Willian Smith

INTRODUÇÃO

No princípio era o útero. E esse foi o primeiro mundo para nós. Um mundo sem janelas, ameno em temperatura, seguro, confortável e tranquilizador. A partir dele, impossível discernir algum fora. Aquele lugar era o todo para quem nele se encontrasse, mesmo não havendo nenhuma consciência disso. Ali dentro as sensações não vinham acompanhadas de linguagem ou discurso, ainda que vozes pudessem ser ouvidas. Sentia-se e pronto.

No útero, a vida era aquela, necessariamente. Sem escolhas a fazer, sem decisões a tomar, sem valores a considerar. Até que, em meio a solavancos, recebemos um cartão vermelho. Expulsos, para sempre, do único bem-bom da vida. E ante nossa feroz resistência a sair, em meio a inconformados protestos, uma porta se escancarou indicando o caminho: a primeira porta da existência. Por ela, uma luminosidade infernal agredia as vistas, instantes dramáticos de desconforto extremo.

Mas, também por meio dela, o encontro com um novo mundo, com coisas e pessoas. Experiências inéditas, estendendo limites, descobrindo realidades ainda não percebidas. E naquele momento do nascimento, com os recursos da primeira infância, não havia como negá-lo, denunciar sua falsidade, desconsiderar sua presença, fingir que não existia, virar as costas e entrar novamente. Do mundo do útero se sai, querendo ou não, pelo parto, termo também usado, em sentido figurado, para toda empreitada trabalhosa, difícil e custosa.

Lembro da minha mãe e suas descomposturas, sempre amáveis e elegantes.

– Olha, por favor, veja se não me perde isso de novo! Não sei o que você leva nessa sua cabeça. Saiba que foi um parto para tirar a segunda via desse seu RG.

O parto é sempre apontado como integrante de uma lista superseleta de experiências megadoloridas. Costuma ser citado lado a lado de pedras nos rins, crises agudas de gota e enxaquecas devastadoras.

Talvez por isso, em muitas sociedades, ainda haja profissionais – que não se confundem com obstetras – especializados em ajudar a parir.

A mãe de Sócrates, mestre de Platão e sábio maior da Antiguidade, exercia este ofício: o de parteira.

Na França, muito tempo depois, uma dedicada "sage-femme" pôs meu filho mais velho no mundo, há mais de 30 anos.

✶✶✶

E assim nasceu um bebê. Num quarto, desses partos à moda antiga. Nada de maternidade. Por razões que não interessam aqui, o nosso amiguinho passou toda a sua infância no seu interior. Iluminado, o tempo todo, pelas lâmpadas de seus abajures, abastecidos por energia elétrica.

Para essa criança, aquele quarto era o seu mundo. Mais do que isso: era o mundo, o único mundo, o mundo todo, o todo. Tudo que existia, ainda que ele nunca parasse para pensar nisso. A vida era vivida ali e só ali, e essa condição imperava sem conjecturas alternativas. O mundo era aquele numa obviedade jamais cogitada. Condição de existência que, em momento algum, resultou de alguma escolha.

O quarto era o mundo. Um mundo sem janelas. Tanto que ele ignorava tratar-se de um quarto. Ignorância que se impunha por não poder defini-lo.

De fato. Como identificar a diferença específica – condição de toda defini-

INTRODUÇÃO

ção – de um "algo", sem nenhum – eu insisto – nenhum "outro algo" em face do qual essa diferença possa ser identificada?

Ele conhecia tudo nesse quarto. Cada centímetro esquadrinhado à exaustão. Uma certeza absoluta a respeito da posição e da disposição das coisas no seu interior. Tinha domínio pleno de tudo que ocorria ali.

Em paralelo a tanto conhecimento, muitos afetos agradáveis. Conforto de acreditar conhecer tudo que existe. Ausência absoluta de temor, portanto. Num mundo de acolhimento e proteção.

Além do conhecimento do quarto e de suas coisas, a vida a ser vivida encontrava-se por ele circunscrita. Era ali, e só ali, por óbvio, que toda a sua vida era e seria vivida.

Nesse caso, tudo que de bom fosse pensado a respeito do existir teria que se produzir ali mesmo. Porque esse era o único mundo. E o mundo era o quarto.

Em outras palavras:

Todos os valores da vida – o que faz a vida valer a pena – tinham que ser compatíveis com esse mundo, necessariamente.

Todas as experiências cogitadas só poderiam sê-lo em função dos limites daquele mundo, isto é, das paredes do quarto. Nada de existencial que exigisse mais do que aquilo seria sequer cogitado, quanto mais vivido.

E assim foi a vida durante muito tempo, até que um dia bateram à porta. Ouviu-se, portanto, pela primeira vez, um barulho produzido do lado de fora.

Mas o nosso amigo, protagonista dessa história, que já não era mais criança, ignorava portas. Só podia ignorá-las, aliás, enquanto portas. Afinal, se porta é abertura, como conceber a existência de uma na fronteira do todo? Se além dali nada existe?

Abrir para onde? Para o quê? Se o quarto era o todo do mundo, não haveria como supor um fora, tampouco um dentro.

De fato. Pensar algum fora exigiria conceber um outro mundo em relação ao quarto. Mas sendo esse último o todo, qualquer eventual outro mundo implicaria rebaixar o primeiro à condição de mera parte, de um singelo "mais um".

Pensar um dentro, por sua vez, pressuporia – ao menos – a possibilidade de algum fora, o que também não guarda coerência com a ideia de quarto-mundo que era a sua.

Desse modo, não havendo nada além do quarto, a tal da porta, para ele, não passava de um pedaço a mais de parede. Um pouco diferente do resto, é verdade. Com outra textura e com uma curiosa saliência, ao alcance da mão, que avançava em L quarto adentro.

Por conta de tudo isso, a sua primeira reação foi negar a existência daquelas batidas. Elas não poderiam ser produzidas num lugar que não existe. Por algo ou alguém que tampouco poderia existir.

Restava-lhe, portanto, convencer-se de que não ouvira barulho algum. Mas a bateção continuou.

Foi quando ele, incomodado pra valer, decidiu mexer na tal saliência. A palavra maçaneta lhe escapava, acompanhando a palavra porta, que também não conhecia. Terminou por girá-la.

Sentia que aquele acontecimento poderia dividir a vida em dois. Um antes e um depois que dilaceravam. Gotas de um suor inédito lhe escorriam em calafrio pela testa e costas, atraídas pelo chão.

E aquele pedaço diferente de parede, para seu deslumbramento e temor, acabou se abrindo, ocasião em que realizou a maior e mais sofrida descoberta da sua vida.

Havia mais mundo para além do quarto.

✸✸✸

Foi assim que o todo se converteu de um quarto num apartamento. Um mundo expandido, portanto. Bem mais amplo que o quarto. Um continente que o continha, e o amedrontava. Um novo mundo também sem janelas. Nele, o tempo não parou de passar. E, aos poucos, nosso herói foi buscando as mesmas certezas que um dia teve em relação ao quarto. Só assim voltaria a ter a alma tranquila. Mas o todo agora era muito mais extenso. A segurança de outrora tardaria a chegar.

INTRODUÇÃO

Nesse novo mundo, novas experiências, antes impossíveis nos limites do quarto, eram agora cogitadas. Uma gama mais rica de alternativas de existência cobrava novas escolhas, decisões mais complexas, por certo.

Claro que as paredes do apartamento continuaram sendo as fronteiras do mundo. E todo o bom da vida só poderia ser vivido ali dentro, tal como um dia fora no quarto.

Os novos limites foram assimilados aos poucos. Tudo agora era pensado em função deles. Porém, um receio inédito lhe atormentava, causado por uma incerteza que só nesses novos tempos acudia o espírito. Completamente ausente antes, no interior do quarto: a porta.

O apartamento, tal como o quarto, também tinha porta. Um pouco maior até. E agora ele já sabia que portas se abrem.

Se a porta do quarto, parecida, aliás, com aquela do apartamento, num outro momento de sua vida, quando aberta, expandiu seu mundo, mudando drasticamente as condições materiais de sua existência, era inevitável perguntar-se agora:

– Haveria mais mundo desconhecido por detrás desta outra porta?

Mais uma vez, pareceu-lhe tranquilizador negar. Afinal, um raio não cai duas vezes no mesmo lugar. O que tinha que acontecer, já tinha acontecido.

Essa nova porta não passava de uma ilusão. Uma manobra visando desestabilizá-lo. Uma intriga de forças cuja origem e propósito ignorava. Uma inteligência criadora a testá-lo, quem sabe? A maçaneta fazendo o papel de maçã, e aquele mundo do apartamento, o de Jardim do Éden. Mas, eis que, num certo tempo, uma campainha tocou.

Depois de muito desconsiderar, imaginando tratar-se de coisa da própria cabeça – bastaria não dar bola para que aquele barulho passasse –, ele acabou atendendo. E, assim, mais uma porta foi aberta.

As reações do nosso protagonista não deixam dúvidas: cada expansão de mundo parecia mesmo um novo parto. Com incerteza a top. Altíssimo custo. Enorme temor. Sofrimento imenso.

E essa constatação nos traz ao espírito as perguntas:

Por que será que esses novos mundos incomodam tanto? De onde vem tanta resistência? Qual o fundamento desse apreço visceral pelos interiores já conhecidos?

Foi assim que, em meio a muitas incertezas e medos, o nosso herói descobriu o prédio. Um condomínio inteiro. Com outros apartamentos, como o dele. Com outros moradores, como ele. E áreas de frequentação comunitária.

E o mundo voltou a definir seus limites. Novos limites. Mais alargado, por certo. Um novo mundo, portanto. Um novo todo. Um autêntico universo, com muitas outras portas.

Desse modo, sua vida passou a ser vivida em outros cenários. As experiências cogitáveis tornaram-se novamente outras. As possibilidades dos encontros tristes com o mundo também se multiplicaram, e muito. A cara de poucos amigos de alguns vizinhos indicava por si novas experiências e novos afetos. E não se tratava só de cara feia.

Bastava acudir a uma reunião de condôminos. Havia uma por mês, fora as extraordinárias. Um autêntico micro-ondas de angústia. Um acelerador de tristezas. Um potencializador de iras.

Os humanos que compartilhavam aquele mundo tinham pretensões, como ele também as tinha. Algumas excludentes de outras. Surgiam, então, conflitos. Era inevitável. E a possibilidade real de mais frustração. E os motivos para temor eram, a cada novo encontro, mais numerosos.

Mas, aos poucos, nosso protagonista foi comendo pelas beiradas, dominando a nova situação, conhecendo a galera, mapeando o condomínio todo, como o fizera com o quarto e com o apartamento. E redefinindo a vida em suas novas condições. Em referência a novos valores. Para o bem e para o mal. A segurança e a tranquilidade da alma deram as mãos e devolveram-lhe a vida boa que foi a sua na maior parte do tempo.

Mas esse condomínio também tinha uma porta. Maior que as anteriores. Pela qual passava um outro tipo de luz. Dessa, ele nem chegava perto. Não podia acreditar que uma nova abertura pudesse representar para ele, em meio a seu sossego recuperado, mais instabilidade, incerteza e temor. Mas o tempo foi passando. Não digo dias, mas meses e anos porque os movimentos da Terra ainda lhe eram completamente ignorados.

Foi longo o tempo ali vivido, naquele mundo condominial. Um novo continente, que continha os mundos anteriores, apartamento, quarto e útero.

O prédio agora tornara-se o universo. Nisso, todos ali acreditavam. Uma crença compartilhada que cobrava adesão irrefletida. Quem se atrevesse a questioná-la sofreria sanções proporcionais à sua insistência.

INTRODUÇÃO

Desse modo, com o apoio dos demais condôminos, a ameaça da existência de algum outro mundo – ainda maior e desconhecido, causa potencial de novas paixões tristes – foi sendo pouco a pouco esquecida, a ponto de essa possibilidade se converter em chacota coletiva. Bem como em deboche ante os próprios delírios e temores de outrora. Histórias de absurdos que coloriam a cultura local. Verdadeiros mitos recontados por gerações, legitimados pelo depoimento desdenhoso dos anciãos, que nasceram, viveram a vida inteira e estão quase a se extinguir ali dentro, sem jamais terem vislumbrado algo além.

***

Até que naquele fatídico despertar, em que se comemorava o início de todos os tempos, o aparecimento mítico do condomínio, a sirene aguda, estridente e insistente anunciou o fogo.

Sim. Incêndio. Chamas. Calor insuportável. Era preciso se evadir.

Mas, como assim?

O condomínio não era o mundo?

Sair dali para escapar do fogo implicava aceitar que houvesse um fora. E que o mundo fosse ainda maior. Que havia mais a conhecer. Que a vida poderia ser vivida alhures. Que novas experiências eram cogitáveis. Outros valores existenciais consideráveis. Novas escolhas a fazer.

E isso, para a maioria, não era cogitável. Preferiram perecer. E pereceram convictos de que o mundo tinha mesmo acabado. Não faltavam profecias a prevê-lo. Pois bem. Elas estavam certas.

Mas o nosso herói, sufocado, rompeu a barreira da portaria. Saiu pela rua com a roupa em chamas, cego pela luz e quase morto pelas queimaduras.

Foi recolhido e tratado. Terminou se curando. Descobriu que ele, morador do condomínio que pegou fogo, sempre teve, desde que nascera, um endereço. Entre zilhões de outros possíveis.

Dali o abrir de novas portas não parou mais. Vieram a cidade, o país e o mundo propriamente dito. O tal planeta Terra. A cada nova descoberta, novos conhecimentos, novas alternativas existenciais, novos dilemas, novas angústias, novos valores, novas escolhas. Mas um dia nosso amigo abriu a porta do planeta e quase desgarrou. Não é que agora o lado de fora não tinha chão?

E pior: isso de se estabacar, como quem cai de um penhasco ou quem trepa numa árvore cujo galho se rompe, ou ainda quem escorrega no degrau da escada, isso tudo agora parece se dar de modo bem diferente.

O amor apego, como um chiclete, que o planeta parece ter por tudo que dele está próximo ou em sua superfície, pois bem, esse grude todo vai claramente perdendo sua força à medida que dele nos distanciamos.

Um pouco mais de distância e muito menos de apego. Incrível.

– Mas o que foi que lhe contaram a respeito desse novo condomínio?

Muita coisa. Mas, de novo, pareceu-lhe melhor negar.

Se tudo parece grandioso demais, é só não olhar para cima. E depois, isso de que o homem foi à Lua faz rir. Tudo truque. Coisa que qualquer televisão de interior consegue sem dificuldade.

– Mas o que foi exatamente que lhe disseram?

Que a Terra, onde estavam, bem como os outros planetas do sistema solar giram ao redor do Sol, e não o contrário. Que esse Sol, bem como as outras estrelas da Via Láctea, giram ao redor do seu centro: do centro da galáxia. Que a galáxia orbita – junto com outras galáxias do nosso grupo local de galáxias, o centro gravitacional do grupo. Que galáxias se aglomeram em grupos e aglomerados de galáxias orbitam o centro gravitacional do sistema ao qual pertencem.

Que os aglomerados de galáxias, por sua vez, são regiões de cruzamento dos filamentos cósmicos. E estes giram em torno de si próprios. Que esses filamentos formam a teia cósmica, e que cada novo mundo, cada nova porta – do útero mais tímido e retrovertido ao infinito de toda a teia cósmica – sugere novas vidas, novos dilemas, decisões, escolhas e valores.

E, finalmente, que se tudo pareceu grande demais, sempre é possível retroceder, negar que existe. Ou que, se existe, não importa. Que não faz a menor diferença. Que cabe denunciar a fraude da descoberta, os interesses envolvidos, as sacanagens que os tontos nunca enxergam. Que ainda dá para voltar correndo para o quarto.

E se a genitora ainda estiver por lá, propor-lhe o reingresso invisível ao

INTRODUÇÃO

verdadeiro primeiro mundo, o uterino, onde tudo começou, com a certeza de que, se ante a primeira porta, a abertura lá do começo, tivesse havido alguma escolha possível, todo o resto bem que poderia ter sido evitado. Mas que, não sendo esse o caso, restava agora, a cada um de nós, encarar, abrir as portas uma a uma e, assim, descobrir os novos mundos. Abrir mão das falsas certezas e enfrentar as novas luzes com fotofobias e tudo.

Abandonar o miudinho do particular – e de suas experiências – e enveredar pelo que não é visível com os olhos. Não só pelas galáxias – que se encontram pra lá da luz – e pelas estrelas, que já morreram sem anunciar seus velórios, mas enveredar também pelas ideias e pela verdade que estão sempre muito, mas muito além das dóxicas bobagens que nos chegam diariamente aos olhos e ouvidos. Todas elas enunciadas com fúria pelos que, desdenhando a verdade, apenas grunhem, vociferam e se debatem em defesa de seus pobres e vãos interesses. Abrir as portas dos sucessivos mundos, portanto, uma após a outra, com coragem.

Não é outra a boa formação do vivente humano. Aquele que busca viver a melhor das vidas, no máximo esplendor de suas próprias faculdades, na exuberância da própria natureza. Que não abrirá mão tão fácil da plenitude – na certeza da própria carência – e da sabedoria – na certeza da própria ignorância.

Clóvis de Barros Filho
Professor, palestrante, escritor e apresentador

Sócrates

PARTE 1
LIVRO 7,
DE *A REPÚBLICA*

SÓCRATES:
— Com relação à cultura e à falta dela, imagine nossa condição da seguinte maneira. Pense em homens confinados numa caverna, dotada de uma abertura que permite a entrada de luz em toda a extensão da parede maior. Enclausurados nela desde a infância, acorrentados por grilhões nas pernas e no pescoço que os obrigam a ficar imóveis, podem olhar para a frente, porquanto as correntes no pescoço os impedem de virar a cabeça. Atrás e por sobre eles, brilha a certa distância uma chama. Entre esta e os prisioneiros delineia-se uma estrada em aclive, ao longo da qual existe um pequeno muro, parecido com os tabiques que os saltimbancos utilizam para mostrar ao público suas artes.

GLAUCO:
— Estou imaginando tudo isso.

SÓCRATES:
— Imagine ao longo daquele pequeno muro homens que carregam todo tipo de objetos que aparecem sobre o muro, figuras de animais e de homens de pedra, de madeira, de todos os tipos de formas. Alguns entre os homens que as carregam, como é natural, falam, enquanto outros ficam calados.

GLAUCO:
— Que visão estranha e que estranhos prisioneiros!

SÓCRATES:
— Apesar disso, são semelhantes a nós. Eles poderiam ver algo mais do que as sombras projetadas pela chama na parede da caverna diante deles?

GLAUCO:
— Impossível, se foram obrigados a ficar por toda a vida sem mexer a cabeça.

SÓCRATES:
— E não se encontram na mesma situação em relação aos objetos que desfilam perante eles?

GLAUCO:
— Certamente.

SÓCRATES:
— Supondo que pudessem falar, você não acha que considerariam reais as figuras que estão vendo?

GLAUCO:
— Sem dúvida alguma.

SÓCRATES:
— E se a parede oposta da caverna fizesse eco? Se um dos que passam começasse a falar, você não acha que eles haveriam de atribuir aquelas palavras à sua sombra?

GLAUCO:
— Sim, por Zeus!

SÓCRATES:
— Então para esses homens a realidade consistiria somente nas sombras dos objetos.

GLAUCO:
— Provavelmente seria assim.

SÓCRATES:
— Vejamos agora o que poderia significar para eles a eventual libertação das correntes e da ignorância. Um prisioneiro que fosse libertado e obrigado

a se levantar, a virar a cabeça, a caminhar e a erguer os olhos para a luz, haveria de sofrer ao tentar fazer tudo isso, ficaria atordoado e seria incapaz de discernir aquilo de que antes só via a sombra. Se a ele se dissesse que antes via somente as aparências e que agora poderia ver melhor, porque seu olhar está mais próximo da realidade e voltado para objetos bem reais; se lhe fosse mostrado cada um dos objetos que desfilam e se fosse obrigado com algumas perguntas a responder o que seria isso, como você acha que ele haveria de se comportar? Você não acha que ficaria atordoado e haveria de considerar as coisas que via antes mais verdadeiras do que aquelas que lhe são mostradas agora?

GLAUCO:
— Sem dúvida, muito mais verdadeiras.

***

SÓCRATES:
— Se fosse obrigado a olhar exatamente para a luz, não haveria de sentir os olhos doloridos e não tentaria desviá-los e dirigi-los para o que pode ver? Não haveria de acreditar que isto seria na realidade mais verdadeiro do que agora se quer mostrar a ele?

GLAUCO:
— Certamente.

SÓCRATES:
— E se alguém o tirasse à força dali, fazendo-o subir pela áspera e íngreme subida, libertando-o somente depois de tê-lo levado à luz do sol, o prisioneiro não sentiria dor e, ao mesmo tempo, raiva por ser assim arrastado? Uma vez fora, à luz do dia, por acaso não é verdade que, com seus olhos cegados pelos raios do sol, não conseguiria contemplar sequer um só dos objetos que agora nós consideramos reais?

GLAUCO:
— Não conseguiria, pelo menos não de imediato.

SÓCRATES:
— Acho que precisaria de tempo para habituar-se a contemplar essas realidades superiores. Primeiramente, haveria de ver com a maior facilidade as sombras, depois as figuras humanas e todas as outras refletidas na água e, por último, poderia vê-las como são na realidade. Após isso, seria capaz de fitar os olhos nas constelações e contemplaria o próprio céu à noite, à luz das estrelas e da lua, mais facilmente que durante o dia, sob o esplendor do sol.

GLAUCO:
— Sem sombra de dúvida.

SÓCRATES:
— Acho que, por fim, haveria de contemplar o sol, não sua imagem refletida na água ou em qualquer outra superfície, mas em sua realidade, assim como realmente é, em seu próprio lugar.

GLAUCO:
— Perfeito.

SÓCRATES:
— Depois passaria a refletir que é o sol que produz as estações e os anos, que governa todos os fenômenos do mundo visível e que, de algum modo, é ele a verdadeira causa daquilo que os prisioneiros viam.

GLAUCO:
— Evidente que refletindo assim chegaria gradualmente a essas conclusões.

SÓCRATES:
— E depois? Lembrando-se de sua antiga morada, da ideia de sabedoria que lá imperava e de seus velhos companheiros de prisão, não se consideraria afortunado pela mudança efetuada e não sentiria compaixão por eles?

GLAUCO:
— Obviamente.

SÓCRATES:
— Se aqueles da caverna inventassem atribuir honras, elogios e prêmios a quem melhor visse a passagem das sombras e se recordasse com maior exatidão quais passavam primeiro, quais por último e quais passavam juntas e,

com base nisso, adivinhasse com grande habilidade aquelas que passavam em cada preciso momento, você acha que ele ficaria com desejo e com inveja de suas honras e de seu poder ou se haveria de encontrar na condição do herói homérico e preferiria ardentemente "trabalhar como assalariado a serviço de um pobre camponês" e sofrer qualquer privação, antes que dividir as opiniões deles e voltar a viver à maneira deles?

GLAUCO:
— Sim, acho que aceitaria sofrer qualquer tipo de privação, antes de retornar a viver daquela maneira.

SÓCRATES:
— Mais um ponto a ser considerado. Se aquele homem tivesse de descer novamente e retomar seu lugar, não haveria de sentir os olhos doloridos por conta da escuridão, vindo subitamente do sol?

GLAUCO:
— Certamente.

SÓCRATES:
— Se, enquanto tivesse a vista confusa pelo tempo que se passaria antes que os olhos se acostumassem novamente com a obscuridade, devesse avaliar novamente aquelas sombras e apostasse com aqueles eternos prisioneiros, você não acha que passaria por ridículo e dele diriam que sua saída lhe havia arruinado a vista e que sequer valia a pena enfrentar essa subida? Não haveria de ser morto aquele que tentasse libertar e fazer subir os outros, bastando para isso que o tivessem entre as mãos para o matar?

GLAUCO:
— Não há dúvida alguma.

***

SÓCRATES:
— Agora, caro Glauco, é preciso aplicar toda esta alegoria a tudo o que dissemos antes. Compare o mundo visível à caverna e a chama que a ilumina ao sol. A subida do cativo para contemplar a realidade superior, você não haveria

de se desiludir, se a comparasse à alma que se eleva para o mundo inteligível. Essa é minha interpretação, uma vez que você quer conhecê-la, mas só Deus sabe se é verdadeira. De qualquer forma, assim penso. A ideia do bem representa o limite extremo e a custo discernível do mundo inteligível, mas, quando compreendida, se impõe à razão como a causa universal de tudo o que é bom e belo. Ela gerou no mundo visível a luz e as fontes da luz, enquanto que, no mundo inteligível, ela mesma abre as portas da verdade e da inteligência e quem queira se portar sabiamente em particular e em público deve contemplar essa ideia.

GLAUCO:
— Estou de pleno acordo, dentro dos limites de minha capacidade de compreensão.

SÓCRATES:
— Vamos adiante, pois, e continue a dar-me razão. Não se maravilhe que aqueles que tiverem chegado a esse ponto não queiram mais se interessar pelas instabilidades humanas, mas espiritualmente tendem a permanecer sempre no alto. De fato, é natural que isso aconteça, se a alegoria apresentada merece realmente crédito.

GLAUCO:
— Certamente. É natural.

SÓCRATES:
— Você não haveria de julgar estranho que um homem que passasse dessa contemplação divina para as misérias humanas se comportasse de modo simplório e ridículo, visto que ainda permanece atordoado e obrigado, antes de se ter habituado convenientemente a essa obscuridade, a defender-se nos tribunais e em outros lugares das sombras da justiça e das figuras que projetam aquelas sombras ou a refutar a interpretação de tais figuras diante de quem jamais contemplou a essência da justiça?

GLAUCO:
— Não é estranho sob hipótese alguma.

SÓCRATES:
— Um homem sensato, porém, haveria de se lembrar que as perturbações que afetam os olhos são de dois tipos e têm duas causas: a passagem da luz para a sombra e aquela da sombra para a luz. Aplicando isso à visão da alma, não

haveria de rir tresloucadamente, quando visse uma alma perturbada e incapaz de discernir alguma coisa, mas se perguntaria se não estaria conturbada pela falta de adaptação, porque proveniente de uma existência mais luminosa ou se, ao contrário, estaria ofuscada por uma luz mais resplendente porque proveniente de uma condição de ignorância maior. Então, no primeiro caso, haveria de se cumprimentar por seu embaraço, tendo em vista sua condição superior, mas se lamentaria no segundo caso. Mas se quisesse rir-se desse estado, seu riso seria menos inoportuno para a alma que viesse do alto e da luz.

GLAUCO:
— Você tem razão.

***

SÓCRATES:
— Se isso é verdade, deve-se concluir que a cultura não é o que alguns imaginam que seja. Eles afirmam que pode introduzir a ciência numa alma que não a possui, como se comunica a visão aos que não veem.

GLAUCO:
— De fato, dizem isso mesmo.

SÓCRATES:
— Mas o discurso atual nos faz ver que na alma de cada um subsiste essa faculdade, junto de um órgão que torna possível o conhecimento, à semelhança dos olhos que não podem se voltar das trevas para a luz sem que todo o corpo se volte nessa direção. Assim também a inteligência se deve voltar, com toda a alma, da visão do que nasce à contemplação do ser e de sua parte mais luminosa, e isto, a nosso ver, é o próprio bem. Ou não é?

GLAUCO:
— Sim, é isto mesmo.

SÓCRATES:
— Deve, pois, haver uma arte para fazer retornar da maneira mais fácil e eficaz esse órgão da compreensão. Não se trata de lhe conferir a capacidade de

ver que já a possui, ao contrário desviá-la de sua direção equivocada e voltá-la para a direção que deve olhar.

GLAUCO:
— Parece que seja assim.

SÓCRATES:
— Também as outras faculdades chamadas psíquicas talvez sejam afins às do corpo. Quando não são inatas, podem ser adquiridas com o hábito e o exercício, mas o pensamento, pelo que parece, diz respeito a um objeto mais divino que jamais perde seu poder, embora, de acordo com a direção a que se volta, pode-se tornar útil e vantajoso ou inútil e prejudicial. Você não entendeu ainda que as pessoas consideradas desonestas e inteligentes têm a vista muito perspicaz e observam com agudeza aquilo para que seu espírito se volta, exatamente porque seu modo de ver não é insignificante, mas está voltado para um fim maléfico, de tal sorte que quanto maior é sua perspicácia, tanto mais grave é o prejuízo que produz?

GLAUCO:
— Exatamente.

SÓCRATES:
— Se uma alma dessas fosse submetida desde a infância a uma operação cirúrgica para lhe extrair aqueles pesos de chumbo do futuro de que é portadora e que a ela aderem por meio dos festins e prazeres semelhantes da gula, levando-a a anelar sempre por coisas inferiores; se conseguisse se libertar desses pesos e se voltasse para a verdade, essa mesma natureza haveria de ver a realidade com a mesma perspicácia com que por ora vê aquilo para que se retorne.

GLAUCO:
— Com muita probabilidade.

SÓCRATES:
— Com base em nossas premissas, nunca seria sequer lógico confiar o Estado aos incultos e aos que ignoram a verdade, nem àqueles aos quais é permitido passar toda a sua existência no estudo. Aos primeiros, porque na vida não têm um único objetivo a perseguir em cada ação de sua vida particular ou pública. Aos segundos, porque não estariam dispostos a enfrentar isso, visto que já se consideram em vida como que transportados para as ilhas dos bem-aventurados.

GLAUCO:
— É verdade.

SÓCRATES:
— A nós, portanto, que fundamos um Estado, compete obrigar os de melhor caráter a dedicar-se ao que definimos antes como a coisa mais importante, ou seja, a contemplar o bem e a se empenhar em enfrentar essa subida. Quando a tiverem galgado e tenham visto o suficiente, não devemos permitir a eles o que agora lhes é permitido.

GLAUCO:
— O quê?

SÓCRATES:
— De ficar lá em cima, recusando-se a descer novamente entre aqueles prisioneiros e a participar de suas fadigas e de seus prêmios, por frívolos ou sérios que pareçam.

GLAUCO:
— Mas então estaríamos exercendo coação sobre eles e os obrigaríamos a viver pior do que poderiam?

***

SÓCRATES:
— Uma vez mais você esqueceu, meu amigo, que a lei não visa o bem-estar absoluto de uma só classe de cidadãos, mas, ao contrário, procura que no Estado este seja alcançado com a concórdia entre todas as classes, seja por meio da persuasão, seja pela coação, obrigando a todas a repartir entre si a contribuição que cada uma delas está em condições de trazer para a coletividade. Se a lei assim os torna cidadãos, seu objetivo não é o de deixá-los livres para fazer o que quiserem, mas de obrigar a cada um a colaborar para a concórdia no Estado.

GLAUCO:
— É verdade, eu tinha esquecido.

SÓCRATES:

— Repare, portanto, Glauco, que não vamos agir de modo injusto com os filósofos que se formaram conosco, mas lhes colocaremos boas razões para obrigá-los a cuidar dos demais concidadãos e a protegê-los. Diríamos a eles, portanto: "Em outros Estados, aqueles que se tornam filósofos têm razão em não participar dos encargos políticos, exatamente porque só a si são devedores de quanto sabem, mesmo contra a vontade de todos aqueles governos. E é justo que aquilo que se desenvolve por si mesmo, sem dever nada a ninguém por seu crescimento, a ninguém pague o preço. Nós, pelo contrário, vos formamos para vós mesmos, mas também para o resto da república, como chefes e rainhas de colmeias, vos educamos melhor e de modo mais profundo do que eles e mais capazes para exercer ambas as atividades. Devereis descer, portanto, cada um por sua vez, à morada dos outros e vos acostumar a enxergar nas trevas. Quando estiverdes habituados, havereis de enxergar mil vezes melhor do que aqueles lá debaixo e havereis de compreender o que vem a ser e o que pode representar cada uma das sombras, porque já havereis visto a verdade com relação ao belo, ao justo e ao bem. Assim, como homens atentos a tudo, haveremos de governar juntos o Estado, bem ao contrário do que ocorre agora, quando quase todos os Estados são governados por pessoas adormecidas que combatem pelas sombras e lutam entre si pelo poder, como se fosse um bem precioso. Esta, no entanto, é a verdade: será governado da melhor maneira e de modo mais equânime aquele Estado em que aquele que deve governar não tenha a ânsia de fazê-lo, enquanto o contrário ocorre se os governantes têm ambição pelo poder."

GLAUCO:

— É a pura verdade.

SÓCRATES:

— Você acha, porém, que nossos discípulos haveriam de acreditar em nossos argumentos, se recusariam de colaborar, cada um por sua vez, e passariam a maior parte de seu tempo no mundo das ideias?

GLAUCO:

— Impossível, porque daríamos ordens justas a pessoas certas. Cada um deles, sobretudo nesse caso, assumiria a função de governar como um dever inevitável, contrariamente do que ocorre com os governantes que ora dirigem os outros Estados.

SÓCRATES:
— Assim é, amigo. Só é possível encontrar um bom governo, onde a condição dos homens destinados ao poder é preferível ao próprio poder. Porque só aí haverão de ter o poder os verdadeiros ricos, não em ouro, mas daquilo que devem ser ricos os homens felizes, isto é, de um modo de vida honesto e sábio. No entanto, se dominarem a política, os esfarrapados com fome de propriedade privada, na esperança de conseguir lucros fabulosos, um bom governo não será possível. De fato, o poder será ambiciosamente disputado e uma guerra desse tipo, doméstica e civil, acabará por levar eles próprios e aos demais à ruína.

GLAUCO:
— Sem dúvida alguma.

SÓCRATES:
— Você saberia mostrar outro modo de vida que despreze os cargos políticos que não o dos filósofos?

GLAUCO:
— Eu não, por Zeus!

SÓCRATES:
— Com toda a certeza deve-se evitar chegar ao poder com paixão, do contrário rivalidades e lutas serão inevitáveis.

GLAUCO:
— E que dúvida!

SÓCRATES:
— A quem você obrigaria a proteger o Estado, senão àqueles que, melhor instruídos na arte de governar, que gozam de outras honras e vivem uma vida mais preciosa do que aquela do homem político?

GLAUCO:
— A ninguém mais.

***

SÓCRATES:
— Você quer que examinemos como formar esses homens e como conduzi-los à luz, da maneira como se diz que alguns do Hades ascenderam para junto dos deuses?

GLAUCO:
— Claro que quero!

SÓCRATES:
— Parece-me, porém, que isto não é como no jogo dos meninos de lançar uma concha para o ar para ver de que lado haveria de cair, mas uma mudança espiritual de um dia tenebroso para aquele verdadeiro, uma efetiva ascensão para o ser. Isto é o que consideramos verdadeira filosofia.

GLAUCO:
— Não há dúvida.

SÓCRATES:
— É preciso, portanto, descobrir qual ciência poderia produzir esse efeito?

GLAUCO:
— Certamente.

SÓCRATES:
— Não dissemos que durante a juventude nossos filósofos devem ser atletas da guerra?

GLAUCO:
— Sim, o dissemos.

SÓCRATES:
— Logo, a ciência que procuramos deve ter também outra característica.

GLAUCO:
— Qual?

SÓCRATES:
— A de não ser inútil para os guerreiros.

GLAUCO:
— Sim, se possível.

SÓCRATES:
— E antes disso, não os educamos na ginástica e na música?

GLAUCO:
— Foi o que fizemos.

SÓCRATES:
— A ginástica tem por objeto o que nasce e morre, visto que supervisiona o crescimento e a decadência do corpo.

GLAUCO:
— Parece que sim.

SÓCRATES:
— Logo, a ciência que procuramos não pode ser esta.

GLAUCO:
— Certo que não.

SÓCRATES:
— Seria talvez a música, tal como a descrevemos?

GLAUCO:
— Mas esta, se você se lembra, era um complemento da ginástica, porque educa harmoniosamente o caráter dos defensores, comunicando a eles não uma ciência, mas um bom acordo, uma eurritmia, segundo o ritmo musical e outros hábitos similares na expressão de discursos míticos ou verídicos. Nem a música, pois, contém aquela ciência que conduz ao que você agora procura.

SÓCRATES:
— Você me lembra exatamente o que dissemos. Na realidade, a música não conteria nada de similar. Mas, então, caro Glauco, qual seria essa ciência? Porque todas as artes nos pareceram inferiores e mecânicas.

GLAUCO:
— Por certo! Mas o que resta além da música, da ginástica e outras artes?

SÓCRATES:
— Vejamos. Se não encontrarmos nada, vamos procurar uma ciência que se aplica a todo objeto.

GLAUCO:
— E qual seria?

SÓCRATES:
— Aquela, por exemplo, de que se servem todas as artes, as operações intelectuais e as ciências. Aquela que todos devem aprender muito cedo.

GLAUCO:
— Ou seja?

SÓCRATES:
— Aquela tão comum que distingue o um, o dois e o três. Aquela, enfim, que chamo de ciência dos números e do cálculo. Por que não é verdade que toda arte e toda outra ciência dela se serve?

GLAUCO:
— Sim.

SÓCRATES:
— Portanto, dela faz uso também a arte da guerra?

GLAUCO:
— Claro que sim.

SÓCRATES:
— Na verdade, Palamedes, nas tragédias nos apresenta quase sempre a figura de Agamenon como ridícula. Você não notou que é ele, o inventor da aritmética, que dispõe os soldados no campo de batalha diante de Troia e que conta os navios e todo o resto, como se antes dele ninguém jamais os tivesse contado, e que Agamenon, pelo que parece, sequer sabia quantos pés tinha, pois não sabia contar? Que ideia você quer que se faça de semelhante general?

GLAUCO:
— Seria realmente um absurdo se isto fosse verdade.

***

SÓCRATES:
— Não deveríamos incluir, portanto, entre os conhecimentos indispensáveis a um guerreiro o cálculo e a aritmética?

GLAUCO:
— Particularmente esta, se quiser entender algo de tática, mas sobretudo se quiser ser homem.

SÓCRATES:
— Será que você está de acordo comigo no tocante a essa ciência?

GLAUCO:
— Em que sentido?

SÓCRATES:
— No sentido de que essa talvez seja uma daquelas que procuramos e que se constitui num guia para a compreensão intelectual. Infelizmente, ninguém a usa corretamente, muito embora ela seja realmente capaz de elevar o homem em direção ao ser em si.

GLAUCO:
— O que você pretende dizer?

SÓCRATES:
— Vou tentar esclarecer meu pensamento. Siga-me e observe o modo como distingo o que conduz à nossa meta e o que não. Concorde comigo ou refute minhas colocações. Assim, veremos mais claramente se meu pressentimento corresponde à realidade.

GLAUCO:
— Fale, pois!

SÓCRATES:
— Sugiro que, se você observar atentamente, alguns objetos sensíveis não incitam o pensamento à reflexão, porque já são percebidos de modo satisfatório pelos sentidos. Outros, porém, exigem realmente a contribuição do pensamento, porque os sentidos não podem extrair deles nada de válido.

GLAUCO:
— Você alude, evidentemente, às coisas vistas de longe e àquelas desenhadas em perspectiva.

SÓCRATES:
— Você não entendeu plenamente o que pretendo dizer.

GLAUCO:
— O que você quer dizer então?

SÓCRATES:
— As coisas que não provocam a reflexão são aquelas que não suscitam impressões contraditórias. Estas, ao contrário, eu as considero estimulantes, porque os sentidos não demonstram de modo algum isto mais que aquilo, nem de perto, nem de longe. Vou explicar melhor meu pensamento da seguinte maneira: estes, por exemplo, são três dedos, o polegar, o indicador e o médio.

GLAUCO:
— Por certo.

SÓCRATES:
— Imagine que estamos vendo-os de perto, mas considere outra coisa.

GLAUCO:
— Qual?

SÓCRATES:
— Cada um deles parece igualmente um dedo, não havendo diferença alguma se visto ao centro ou nas extremidades, se branco ou preto, grosso ou delgado e assim por diante. Tudo isso, na verdade, não obriga a maioria das pessoas a se perguntar o que vem a ser um dedo, porque, em caso algum, a vista sugere que o dedo não seja um dedo, mas sim qualquer outra coisa.

GLAUCO:
— Certamente que não.

SÓCRATES:
— Logo, um objeto semelhante não pode despertar nem provocar a reflexão.

GLAUCO:
— Parece que não.

SÓCRATES:
— Mas a vista pode perceber de modo suficiente suas dimensões, pequenas ou grandes, e lhe é de todo indiferente que um dedo esteja no meio e não nas extremidades da mão? Isso valeria também com relação à grossura e à magreza, à moleza e à dureza? E os demais sentidos não são insuficientes para determinar tais qualidades? Ou cada um deles procede da seguinte forma: primeiro, o órgão do sentido destinado a determinar a dureza deve se encarregar também de determinar a moleza e transmite à alma que percebe o mesmo objeto como duro ou mole ao mesmo tempo?

GLAUCO:
— É assim mesmo.

SÓCRATES:
— Mas não é inevitável que em tais circunstâncias a alma fique em dúvida, não sabendo o que essa sensação considere duro, se diz que o mesmo objeto é também mole? E o que pretenderia dizer a sensação encarregada da leveza e do peso com os termos "leve" e "pesado", visto que diz do mesmo objeto que é leve e pesado ao mesmo tempo?

GLAUCO:
— Certamente, estas indicações parecem estranhas para a alma e reclamam uma avaliação.

SÓCRATES:
— É provável, portanto, que em tal caso a alma chame primeiramente em seu auxílio o cálculo e a reflexão para avaliar se cada uma das informações recebidas dos sentidos se refere a uma só coisa ou a duas.

GLAUCO:
— Precisamente.

SÓCRATES:
— Por isso, julga-se que são duas coisas, cada uma delas não se revela específica e distinta da outra?

GLAUCO:
— Sim.

SÓCRATES:
— Se, portanto, cada uma delas lhe parece uma coisa só, e uma e outra juntas são duas, a alma as conceberá separadamente. Se assim não fosse, não as conceberia como duas distintas, mas como uma coisa única.

GLAUCO:
— Correto.

SÓCRATES:
— A vista, dizíamos, percebe o grande e o pequeno, não de modo distinto, mas de maneira um tanto confusa. Não é assim?

GLAUCO:
— Perfeitamente.

SÓCRATES:
— Para esclarecer esse problema, o pensamento se viu obrigado a distinguir o grande e o pequeno, não em conjunto, mas separadamente, seguindo um procedimento oposto ao da vista.

GLAUCO:
— É verdade.

SÓCRATES:
— Logo, não é a partir daí que, de alguma maneira, se começa a perguntar sobre a essência do grande e do pequeno?

GLAUCO:
— Exatamente.

SÓCRATES:
— Da mesma maneira, distinguimos o que é inteligível e o que é visível.

GLAUCO:
— Perfeito.

SÓCRATES:
— Era isto que eu queria fazê-lo compreender, quando afirmava que algumas coisas estimulam a reflexão e outras não. Designo como estimulantes aquelas que suscitam nos sentidos duas impressões opostas, enquanto as demais, a meu ver, não provocam a reflexão.

GLAUCO:
— Agora entendo e penso exatamente como você.

SÓCRATES:
— Mas em qual das duas categorias você acha que entram o número e a unidade?

GLAUCO:
— Não saberia dizê-lo.

SÓCRATES:
— Pode ser deduzido das premissas. Com efeito, se a essência da unidade é captada adequadamente pela vista ou por qualquer outro órgão dos sentidos, ela não pode levar à contemplação do ser, como dizíamos a propósito dos dedos da mão. Se, no entanto, ela suscitar sempre impressões contraditórias, de sorte a não parecer unidade mais que seu contrário, então é necessário um juiz para resolver o problema, obrigando-se a alma a duvidar e a avaliar pela reflexão, perguntando-se qual seria, portanto, a essência da unidade. E assim o conhecimento da unidade poderia fazer parte daquilo que atrai e leva consigo o espírito à contemplação do ser.

GLAUCO:
— E isto é verdade, sobretudo para a visão da unidade, porque nós vemos a mesma coisa ao mesmo tempo como uma e múltipla até o infinito.

SÓCRATES:
— E o que vale para a unidade, não vale também para todos os outros números?

GLAUCO:
— Sem dúvida.

SÓCRATES:
— Ora, toda a ciência do cálculo e a aritmética têm por objeto os números.

GLAUCO:
— Certamente.

SÓCRATES:
— E parece que estas disciplinas conduzem para a verdade.

GLAUCO:
— De modo admirável.

SÓCRATES:
— Portanto, uma das disciplinas que procuramos é essa. De fato, um guerreiro deve aprendê-la para suas táticas, um filósofo para atingir o ser, emergindo do transformar-se. Caso contrário, nunca haverá de ser um perito em aritmética.

GLAUCO:
— Isso mesmo.

SÓCRATES:
— Mas nosso defensor seria guerreiro e filósofo ao mesmo tempo.

GLAUCO:
— Sim.

SÓCRATES:
— Seria, portanto, conveniente, Glauco, tornarmos obrigatória essa ciência e convencermos aqueles que são destinados a ocupar os mais altos cargos a enfrentar o estudo, não superficialmente, da aritmética até atingir com a inteligência pura a compreensão da natureza dos números, não para a compra e venda, como fazem os comerciantes e mercadores, mas para a guerra e para facilitar ao espírito a passagem da transformação para a verdade do ser.

GLAUCO:
— Belas palavras!

SÓCRATES:
— Nessa ocasião, falo e dou-me conta de quão bela e útil é a aritmética sob múltiplos aspectos para alcançarmos nosso objetivo, contanto que seja cultivada para o conhecimento e não para o lucro.

GLAUCO:
— Em que sentido?

SÓCRATES:
— Como acabamos de afirmar, ela transmite ao espírito um grande impulso para o alto e o obriga a refletir sobre a natureza dos números em si mesmos, sem jamais aceitar que se fale de números com referência a coisas visíveis e palpáveis. Você sabe, com certeza, que os peritos ridicularizam aqueles que tentam dividir teoricamente a unidade em si. Eles não admitem isso. Se você tentar dividi-la, eles imediatamente a multiplicam, receando que a unidade não pareça mais uma, mas um amontoado de muitas partes.

GLAUCO:
— É bem verdade o que você diz.

SÓCRATES:
— Imagine se lhes perguntássemos: "Admiráveis personagens, de que números falais? Onde pretendeis encontrar a unidade que procurais, cada uma perfeitamente igual à outra, sem a mínima diferença, sem nenhuma parte que a componha?". Diga-me, Glauco, o que é que você acha que haveriam de me responder?

GLAUCO:
— Acho que isto: que eles falam daquilo que se pode somente pensar e que não é possível tratar de nenhum outro modo.

SÓCRATES:
— Você não vê, portanto, meu caro, que talvez esta disciplina é realmente indispensável para nós, visto que evidentemente obriga o espírito a prosseguir em direção da verdade unicamente por meio do puro pensamento?

GLAUCO:
— Sim, é efetivamente adequada a produzir esse efeito.

SÓCRATES:
— E você já deve ter observado que os matemáticos são rápidos por natureza para aprender todas as coisas e que as inteligências tardas, se educadas e treinadas na aritmética, se tornam pelo menos um pouco mais perspicazes?

GLAUCO:
— É verdade.

SÓCRATES:
— Apesar disso, acho que não seria fácil encontrar outra disciplina mais difícil para quem a estuda e a pratica.

GLAUCO:
— Certamente que não.

SÓCRATES:
— Por todas essas razões, cumpre não negligenciá-la, mas ensiná-la aos espíritos mais dotados.

GLAUCO:
— De pleno acordo.

***

SÓCRATES:
— Que esta seja, portanto, a primeira disciplina que haveremos de impor. Vamos ver agora se nos convém outra ciência que se prende à primeira.

GLAUCO:
— Qual? Talvez você pretenda falar da geometria?

SÓCRATES:
— Exatamente.

GLAUCO:
— Útil é, sem dúvida, para a guerra. De fato, há muita diferença entre ser perito em geometria ou não para a finalidade de estabelecer o local de um

acampamento, tomar posição, estreitar ou alargar fileiras e executar todas as outras manobras em campo de batalha e em marcha.

SÓCRATES:
— Para esse fim, contudo, é suficiente uma pequena parte da geometria e da aritmética. O que nos importa é examinar se sua maior e mais elevada parte possa trazer alguma contribuição para tornar mais fácil a contemplação da ideia do bem. E esse efeito, nós o dissemos próprio das ciências que impelem o espírito a voltar-se para o lugar onde está o mais feliz dos seres que de todos os modos é necessário contemplar.

GLAUCO:
— Você tem razão.

SÓCRATES:
— Logo, se a geometria obriga a contemplar o ser em si é útil, caso contrário, não.

GLAUCO:
— De acordo.

SÓCRATES:
— Não há ninguém que, por pouco conhecedor de geometria que seja, não possa negar que essa ciência é exatamente o contrário do que pensam sobre ela os que dela fazem uso.

GLAUCO:
— Em que sentido?

SÓCRATES:
— Eles falam dela de modo bastante ridículo e mesquinho. Sem jamais perder de vista os usos práticos, falam em traçar quadrados, em partir de uma dada linha, em acrescentar outros elementos e assim por diante. Em vez disso, essa disciplina deve ser cultivada inteira e exclusivamente para o conhecimento.

GLAUCO:
— Exatamente.

SÓCRATES:
— Não conviria admitir também outra coisa?

GLAUCO:
— Qual?

SÓCRATES:
— Que se deve estudar a geometria para conhecer o ser em si e não o que nasce e morre.

GLAUCO:
— Por certo, a geometria é realmente conhecimento do ser imutável.

SÓCRATES:
— Em decorrência disso, meu caro amigo, ela pode atrair o espírito para a verdade e produzir um pensamento filosófico que volte para o alto aquela faculdade que agora nós, por falta de objetivo, voltamos para baixo.

GLAUCO:
— Sim, sem dúvida é possível.

SÓCRATES:
— Por isso, envidaremos todo esforço para que os cidadãos de nosso belo Estado não negligenciem de modo algum a geometria, porque até suas vantagens secundárias não são de pouca valia.

GLAUCO:
— E quais seriam?

SÓCRATES:
— Aquelas que você mesmo lembrou, referindo-se à guerra e a todas as disciplinas. A geometria proporciona facilidade em aprendê-las e subsiste total diferença entre aquele que a conhece e aquele que não.

GLAUCO:
— Realmente total, por Zeus!

SÓCRATES:
— Devemos, portanto, impor aos jovens também essa segunda disciplina?

GLAUCO:
— Devemos.

SÓCRATES:
— E como terceira disciplina, tornaríamos obrigatório o estudo da Astronomia? Ou você não concorda?

GLAUCO:
— Concordo. Ficar mais atentos às estações, aos meses e aos anos me parece útil não somente para a agricultura e a navegação, mas também e sobretudo para as estratégias de guerra.

SÓCRATES:
— Você me leva ao riso, porque me parece que tem medo de dar a impressão de introduzir disciplinas inúteis na educação. Ao contrário, é muito importante, mas difícil de acreditar que graças a essas disciplinas se purifica e se reaviva em cada um de nós um órgão da alma já arruinado e atrofiado pelas outras ocupações da vida e que, contudo, mereceria ser salvo mais que um infinito número de olhos, visto que só por meio deste é que se contempla a verdade. Por isso, aqueles que pensam como você o aprovarão sem hesitar, enquanto os ignorantes provavelmente haverão de pensar que você só diz bobagens, sendo assim não vislumbram qualquer outra utilidade, senão aquela prática. Pense bem, portanto. A que espécie de ouvintes você se dirige? Talvez a nenhuma das duas, mas só para você mesmo? De qualquer forma, não passe a invejar ninguém pelo proveito que poderá tirar desta conversação.

GLAUCO:
— Sim, prefiro falar com perguntas e respostas só para mim mesmo.

SÓCRATES:
— Vamos voltar, então, um pouco, porque há pouco deixamos de falar da ciência que se segue imediatamente à geometria.

GLAUCO:
— Em que sentido?

SÓCRATES:
— Depois das figuras planas, passamos a considerar os sólidos em movimento antes de compreender a natureza deles. Parece-me correto, contudo,

estudar a terceira dimensão logo após a segunda, a que diz respeito aos cubos e aos objetos que possuem uma profundidade.

GLAUCO:
— É verdade, Sócrates, mas me parece que uma ciência dessas não tenha sido ainda descoberta.

SÓCRATES:
— Por dois motivos. Nenhum Estado dá o devido apreço; já as pesquisas se arrastam, porque são difíceis, e os estudiosos necessitam de um guia, sem o qual frustrados são seus esforços para descobrir qualquer coisa. Um guia desses dificilmente se encontra e, mesmo que houvesse um, os estudiosos dessa disciplina são por demais presunçosos para se deixarem dirigir. Pelo contrário, se o Estado inteiro colaborasse com esse guia, premiando suas pesquisas, essas pessoas se mostrariam dóceis e os resultados de pesquisas conduzidas de modo constante e enérgico haveriam de aparecer. Tanto isso é verdade que, mesmo hoje, apesar do desprezo a que são submetidas, além de hostilizadas e conduzidas por quem sequer se dá conta de sua utilidade, ainda assim, em virtude do fascínio que despertam, não deixam de florescer e seu constante desenvolvimento é, de qualquer modo, surpreendente.

GLAUCO:
— Sem dúvida alguma, elas não deixam de ser extraordinariamente atraentes. Esclarece melhor, porém, teu pensamento a respeito. Você definiu a geometria como o estudo das figuras planas.

SÓCRATES:
— Sim.

GLAUCO:
— Logo a seguir, você introduziu a astronomia, mas depois você voltou atrás.

SÓCRATES:
— Estava com muita pressa em explicar tudo e agora, pelo contrário, me encontro atrasado. Com efeito, logo depois da geometria, segue a ciência que estuda a dimensão da profundidade. Como está ainda numa fase irrelevante de pesquisa, a saltei, e depois da geometria introduzi a astronomia que se ocupa dos sólidos em movimento.

GLAUCO:
— Tem razão.

SÓCRATES:
— Por isso, vamos colocar a astronomia em quarto lugar entre as ciências, levando em consideração a que ora saltamos. Talvez um dia o Estado possa vir a ocupar-se dela.

GLAUCO:
— Está bem, mas antes, Sócrates, você me repreendeu, porque teci elogios à astronomia de um modo óbvio. Agora, passo a elogiá-la da maneira que você quer. De fato, me parece claro para todos que esta obriga a alma a olhar para o alto, desviando-a das coisas daqui debaixo.

SÓCRATES:
— Talvez seja claro para todos, mas não para mim. Eu não penso da mesma maneira.

GLAUCO:
— O que é que você pensa então?

SÓCRATES:
— Se é como a entendem aqueles que a consideram uma filosofia, me parece que a astronomia leve realmente a olhar para baixo.

GLAUCO:
— Mas o que é que você está dizendo?

SÓCRATES:
— Parece-me que o modo com que você entende o estudo das coisas que estão no alto é de todo singular. Se alguém, com efeito, levantasse a cabeça para olhar um pouco a decoração de um teto, você poderia pensar que olhe com o pensamento e não com os olhos. Talvez você tenha razão e eu não passe de um insensato. Mas não consigo acreditar que uma alma seja impelida a olhar para o alto, a não ser pela ciência do ser invisível. Aquele, ao contrário, que se põe a estudar um objeto sensível, levantando ou abaixando a cabeça, a meu ver não conhece nada, visto que de tais coisas não existe ciência e sua alma não olha para o alto, mas para baixo,

mesmo que estudasse deitado de costas, estendido no chão, ou nadando no mar.

***

GLAUCO:
— Mais do que razão, você tem para me repreender e recebo o que mereço. Por que, no entanto, você afirmou que é preciso estudar a astronomia de modo diferente do que se faz hoje, se de qualquer forma esse estudo deveria se tornar útil para nosso objetivo?

SÓCRATES:
— Vou explicar. Admirem-se estes ornamentos do céu como os mais belos e os mais exatos entre todos que possam ser fixados numa tela visível, cumpre, no entanto, dizer que são inferiores aos verdadeiros, segundo os quais a verdadeira velocidade e a verdadeira lentidão se movem em relação recíproca e movem os objetos que contêm, respeitando o verdadeiro número e todas as verdadeiras figuras. Tudo isto escapa à vista e só pode ser captado com a razão e com o pensamento. Você não acha que seja assim?

GLAUCO:
— Sim.

SÓCRATES:
— Convém, pois, servir-se do bordado celeste como de um modelo para aprender os fenômenos invisíveis. Vamos supor que sejam descobertos desenhos valiosíssimos feitos por Dédalo ou por outro grande artista. Um perito em geometria, se os visse, poderia julgá-los obras-primas, mas lhe pareceria absurdo estudá-los seriamente com a intenção de extrair deles o igual, o duplo ou qualquer outra relação numérica.

GLAUCO:
— Certamente seria absurdo.

SÓCRATES:
— E você não acha que um verdadeiro astrônomo haveria de pensar a mesma coisa, olhando os movimentos dos astros? Ele os haverá de considerar como obra do criador do céu e dos astros que neles infundiu toda a beleza possível. Mas você não acha que, segundo ele, seria absurdo considerar a re-

lação da noite com o dia, do dia com o mês, do mês com o ano, aquela dos astros com os outros astros como fenômenos imutáveis, ainda que corpóreos e visíveis? Não seria igualmente absurdo, segundo ele, procurar a qualquer custo descobrir neles a verdade?

GLAUCO:
— Ao escutar estas palavras que você profere, me convenço disso também.

SÓCRATES:
— Vamos, portanto, estudar a geometria e a astronomia para resolver problemas específicos. Vamos deixar de lado os fenômenos celestes, se quisermos realmente nos ocupar de astronomia e tirar algum proveito da parte naturalmente inteligente da alma que antes estava inutilizada.

GLAUCO:
— Com isso, me parece que você atribui à astronomia uma função muito mais árdua do que a atual.

SÓCRATES:
— E sou da opinião que, se quisermos ser bons legisladores, o mesmo deveremos fazer com relação às outras ciências.

***

SÓCRATES:
— Você teria condições, agora, de se lembrar de outra ciência que nos é útil?

GLAUCO:
— Não, pelo menos assim de repente.

SÓCRATES:
— Entretanto, ao que me parece, o movimento não apresenta um tipo único, mas vários. Um sábio poderia, talvez, enumerá-los todos, mas aqueles evidentes são, também para nós, dois.

GLAUCO:
— Quais?

SÓCRATES:
— Aquele de que já falei e seu correspondente.

GLAUCO:
— Isto é?

SÓCRATES:
— Parece que, assim como os olhos são destinados para a astronomia, assim os ouvidos são destinados para os movimentos da harmonia. Desse modo, a astronomia e a música são irmãs, como dizem os discípulos de Pitágoras, com os quais também nós, Glauco, concordamos. Ou não?

GLAUCO:
— Sim.

SÓCRATES:
— Logo, dada a importância da questão, vamos pedir a eles um parecer sobre isto e sobre outras coisas também. Nós haveremos de conservar, porém, nossa opinião.

GLAUCO:
— Qual?

SÓCRATES:
— Velar para que nossos discípulos não sejam levados a estudar coisas imperfeitas, que não sejam direcionadas para o objetivo a que devem convergir todas as nossas esperanças, como acabamos de dizer ao tratar da astronomia. Ou você ignora, por acaso, que também da harmonia se faz um uso semelhante? Que esforço inútil, o de medir as consonâncias audíveis e as relações entre os sons!

GLAUCO:
— Pelos deuses, é realmente ridículo! Esses músicos andam falando de tons inteiros e apuram os ouvidos como se fosse para ouvir um vizinho de casa. Alguns sustentam que entre dois sons se pode ouvir um som intermediário que seria o intervalo menor com o qual é preciso medir todos os demais. Seus adversários rebatem, ao contrário, que este som é semelhante aos outros dois. De qualquer modo, ambas as partes antepõem o ouvido ao pensamento.

SÓCRATES:
— Você fala desses bons músicos que apertam e atormentam as cordas dos instrumentos, torcendo-as com as cravelhas. Não pretendo delongar-me em recordar os golpes de arco, os impropérios quando as cordas não emitem sons ou emitem outros que não querem. Paro aqui e afirmo que não quero falar deles, mas daqueles que há pouco pretendia perguntar sobre questões de harmonia. Estes, de fato, se comportam como os astrônomos. Procuram as relações numéricas nas consonâncias audíveis, mas não descem aos problemas, ou seja, até a análise de quais os acordes que são consonantes e quais são dissonantes e de que deriva essa diferença.

GLAUCO:
— É realmente fascinante essa averiguação de que você fala.

SÓCRATES:
— Útil, no entanto, para a pesquisa do belo e do bem, mas de todo vã se é estudada de outra maneira.

GLAUCO:
— Talvez seja assim mesmo.

***

SÓCRATES:
— Acredito que o estudo de todas essas disciplinas que descrevemos possa trazer uma contribuição para nosso objetivo e não se configure como um trabalho inútil se conseguirmos compreender a estreita afinidade que reina entre elas. Caso contrário, resultará em pura perda.

GLAUCO:
— Compartilho do mesmo parecer, mas a tarefa de que você fala, Sócrates, é deveras penosa.

SÓCRATES:
— Você se refere à preliminar ou a que outra? Não sabemos, por acaso, que esse é só o prelúdio da própria melodia que devemos aprender? De certo, você não acha que aqueles que conhecem todas essas disciplinas sejam peritos em dialética.

GLAUCO:
— Não, por Zeus! Exceto pouquíssimos dos que encontrei.

SÓCRATES:
— Mas então, quem não está em condições de sustentar um debate haveria de saber alguma coisa daquilo que, segundo nós, é preciso saber?

GLAUCO:
— Acredito que não.

SÓCRATES:
— E, então, Glauco, não é esta a essência da melodia executada pela dialética? Ainda que seja puramente inteligível, é imitada pela faculdade da visão, quando, como dizíamos, se esforça em contemplar os seres e os astros e até mesmo o sol em sua essência. Assim também a dialética, quando tenta atingir, sem o auxílio dos sentidos, mas com o simples raciocínio, a essência de todas as coisas e a isso não renuncia antes de ter compreendido como pensamento puro a essência do bem, alcança os limites do mundo inteligível como a vista atinge os limites do mundo visível.

GLAUCO:
— Isso mesmo.

SÓCRATES:
— E a esse procedimento não se confere o nome de dialética?

GLAUCO:
— Por certo.

SÓCRATES:
— Lembre-se do homem da caverna, da libertação dos grilhões, da conversão das sombras para as figuras e para a luz que as projeta, da subida da caverna para o sol, da incapacidade persistente de olhar para os animais, as plantas e a luz do sol, de suas imagens divinas refletidas nos cursos d'água, das sombras dos seres reais, não das figuras projetadas por outra luz que, por sua vez, é a própria imagem do sol. Estes são os efeitos do estudo das outras artes que passamos em revista. Este eleva realmente a parte melhor da alma para a contemplação da parte melhor do ser, exatamente como há pouco vimos o mais perspicaz dos sentidos corpóreos se elevar para o objeto mais luminoso do mundo material e visível.

GLAUCO:
— Admito o que você diz, embora o faça realmente com grande relutância. De outra parte, me parece difícil também rebatê-lo. Em todo caso, como não deveremos tratar do assunto somente agora, mas haveremos de tornar a ele por mais vezes, vamos supor que por ora as coisas estão bem colocadas e sigamos adiante, retornando à própria melodia para explicá-la como o fizemos com relação ao prelúdio. Diga-me, pois, qual seria o método da dialética, em quantas partes se subdivide e qual o percurso a seguir. De fato, só se pode conseguir repouso, se o caminho percorrido levar ao fim da viagem.

SÓCRATES:
— Quanto a mim, o entusiasmo não me falta. Mas você, caro Glauco, estaria ainda em condições de me seguir? A meu ver, você não haveria de ver então nem sequer a imagem do que dizemos agora, mas a própria verdade, pelo menos o que parece a mim que assim seja. Afinal, que depois seja isto mesmo ou não, não me atrevo a assegurá-lo. O que se pode afirmar é que se poderá chegar a algo que muito se lhe assemelhe. Você não acredita?

GLAUCO:
— Por certo.

SÓCRATES:
— Certamente se poderia também demonstrar que só a dialética é capaz de revelá-lo a um perito nas disciplinas que passamos em revista, tornando-se impossível por qualquer outra via?

GLAUCO:
— Sim, podemos afirmar também isso.

SÓCRATES:
— Então, ninguém haveria de nos contradizer se afirmarmos que não há outra via para compreender a essência de cada coisa, pois que todas as outras artes se referem às opiniões e aos desejos humanos ou à produção e à fabricação ou à conservação dos produtos naturais e artificiais. As outras disciplinas de que falamos, a geometria e as outras correlatas, captam alguma coisa do ser, mas parece como que cochilam, pois são incapazes de ver em estado de vigília, enquanto mantiverem imutáveis as hipóteses de que deles se servem sem poder explicá-las. Aquele que se funda em princípios

que não conhece e coloca junto o que ignora nas passagens intermediárias e nas conclusões, como poderia transformar em ciência um semelhante aglomerado de coisas?

GLAUCO:
— É realmente impossível.

***

SÓCRATES:
— Logo, somente o método dialético segue essa direção, relegando as hipóteses, em direção ao próprio princípio para encontrar a própria justificativa, arrancando realmente aos poucos os olhos da alma do atoleiro em que estavam mergulhados e dirigindo-os para o alto, servindo-se das artes que mencionamos como auxiliares e companheiras. Muitas vezes, pelo hábito, as designamos de ciências, mas a elas cabe outro designativo mais claro de "opinião", mas mais obscuro que o de "ciência". Acima, em algum lugar, nos servimos da expressão "pensamento discursivo". Acredito, no entanto, que não compense discutir sobre designativos a propósito de assuntos tão importantes como os nossos.

GLAUCO:
— Por certo, não.

SÓCRATES:
— Deverá bastar-nos aquele designativo que indique com clareza nosso pensamento.

GLAUCO:
— Sim.

SÓCRATES:
— Meu parecer é que continuemos designando "ciência" como a primeira parte, o "pensamento discursivo" como a segunda, o "consentimento" como a terceira e a "conjectura" como a quarta. Essas duas últimas juntas vamos designá-las de "opinião" e as duas primeiras, "pensamento". A opinião se refere

ao devir, o pensamento à essência. E a essência está para o devir como o pensamento está para a opinião. O que o pensamento é com relação à opinião, o é também a ciência com relação ao consentimento e o pensamento com relação à conjectura. Para não multiplicar nossa discussão mais ainda que antes, vamos deixar de lado, Glauco, o modo de dividir em duas espécies o gênero dos objetos que caem sob a alçada da opinião e dos que se referem ao inteligível.

GLAUCO:
— Estou de pleno acordo, pelo pouco que consigo entender.

SÓCRATES:
— Você, pois, considera dialético aquele discurso que colhe a essência de cada coisa? Ao passo que aquele que é incapaz disso, tanto menos deverá pertencer à esfera do pensamento quanto menos poderá dar razão a si mesmo e aos outros?

GLAUCO:
— Como poderia considerá-lo de outro modo?

SÓCRATES:
— Não ocorre o mesmo também com relação ao bem? Você não poderia afirmar que chegue a conhecer a essência do bem e de tudo o que é bom aquele que é incapaz de definir racionalmente a ideia do bem, distinguindo-a de todas as outras e passando pela guerra de todas as objeções, pronto a refutá-las, não segundo a opinião, mas segundo a verdade do ser. Tal homem, se atingir uma aparência do bem, chega com a opinião antes que com a ciência e sua vida atual é um sono cheio de sonhos, do qual não desperta neste mundo, porque antes vai até o Hades para dormir o sono eterno.

GLAUCO:
— Por Zeus, estou pronto a confirmar tudo o que você diz!

SÓCRATES:
— Mas se você devesse um dia se incumbir realmente da educação desses discípulos que ora você cria e educa teoricamente, acho que não os deixaria, privados da razão como as linhas irracionais, comandar a república, revestidos dos cargos supremos.

GLAUCO:
— Certamente que não.

SÓCRATES:
— Então você haveria de lhes prescrever por lei que se aplicassem em adquirir aquela educação que os tornasse capazes de sustentar discussões dialéticas?

GLAUCO:
— Sim, o faria, mas com você por perto.

SÓCRATES:
— Parece-lhe, pois, que a dialética seja para nós como o coroamento das outras ciências e que não exista nenhuma outra que possa ser colocada mais alto ainda, ao contrário, que esta estaria no vértice de todas as demais?

GLAUCO:
— Acredito que sim.

***

SÓCRATES:
— Falta ainda, portanto, resolver a quem e de que modo conferiremos essas disciplinas.

GLAUCO:
— Claro.

SÓCRATES:
— Você se lembra quais os governantes que primeiramente escolhemos?

GLAUCO:
— Como não!

SÓCRATES:
— Pois bem! Você deve se convencer que também sob todos os outros aspectos é preciso escolher pessoas como aquelas: as de mais têmpera, as mais corajosas e, se possível, as mais belas. Além disso, é preciso procurar não somente as pessoas nobres e severas, mas também adaptadas a uma educação deste tipo.

GLAUCO:
— O que você pretende dizer?

SÓCRATES:
— É preciso que tenham uma mente ágil e disposição para aprender, porque nos estudos difíceis a gente se cansa muito mais do que nos exercícios de ginástica, e o cansaço é tanto mais tedioso quanto menos é condividido pelo corpo.

GLAUCO:
— Isto é verdade.

SÓCRATES:
— É preciso procurar uma pessoa rica de memória, constante e infatigável, do contrário, quem você acha que gostaria de submeter-se a esforço físico e ainda levar a bom termo um estudo de tamanha exigência?

GLAUCO:
— Ninguém, a menos que não tenha deveras disposição excepcional.

SÓCRATES:
— Portanto, o erro que hoje se comete, que atraiu a infâmia à filosofia, como dizia antes, se deve ao fato de que não são pessoas dignas que se ocupam dela, isto é, gente nobre, não bastardos, deveria dedicar-se à ela.

GLAUCO:
— Em que sentido?

SÓCRATES:
— Antes de mais nada, quem queira se dedicar à ela não deve claudicar ante a fadiga, sendo por metade laborioso, por metade preguiçoso. Isso ocorre quando se privilegia os exercícios físicos, a caça e todas as atividades físicas, mas não se tem gosto para estudar, escutar, pesquisar e em tudo isso se encontra aborrecimento. Mas falta com os deveres também aquele que orienta toda a sua atividade na direção oposta.

GLAUCO:
— O que você diz é realmente verdade.

SÓCRATES:
— Também com relação à verdade, portanto, não haveríamos de considerar deficiente a alma que detesta a mentira voluntária, não a tolera em si mes-

ma e se indigna com as mentiras dos outros, mas, depois, admite facilmente a involuntária e não se irrita, quando flagrada em falta que reflete ignorância, ao contrário se deixa ficar na ignorância como suíno que gosta de rolar no barro?

GLAUCO:
— Sem sombra de dúvida.

SÓCRATES:
— Não menos cuidado se deve ter em discernir o bastardo do nobre com relação à temperança, à coragem, à magnanimidade e a todas as outras virtudes. O cidadão e o Estado que não sabem indagar e discernir essas coisas, com muita imprudência, confiam qualquer coisa a coxos e bastardos, tratando a uns como amigos e servindo-se de outros como governantes.

GLAUCO:
— É isso mesmo que acontece.

SÓCRATES:
— Nós, pelo contrário, devemos redobrar de atenção a respeito de tudo isto. Se nós, por meio de uma tal educação e de tal exercício, tomarmos homens estruturados no corpo e no espírito, a própria justiça não nos haverá de censurar e haveremos de salvar a república e o governo. Haveríamos de executar exatamente o oposto, se houvéssemos de confiar essas disciplinas a gente estranha e haveríamos de cobrir a filosofia de maior descrédito ainda daquele que goza atualmente.

GLAUCO:
— E seria vergonhoso.

SÓCRATES:
— Exatamente. Mas agora me encontro numa situação que me causa embaraço.

GLAUCO:
— Qual?

SÓCRATES:
— Esqueci que estávamos brincando e passei a falar com excessiva seriedade. Enquanto estava falando, virei os olhos para a filosofia e

acho que me irritei por vê-la injustamente ofendida e, quase que tomado de cólera com os culpados, disse o que acabei de dizer com excessiva seriedade.

GLAUCO:
— Não, por Zeus, pelo menos para um ouvinte como eu!

SÓCRATES:
— Eu que falei acho a mesma coisa. Como quer que seja, não vamos nos esquecer que nossa primeira escolha recaía sobre pessoas de idade, mas, agora, isto não será mais possível. De fato, não devemos acreditar em Sólon, quando nos diz que envelhecendo muito se pode aprender. Ao contrário, seria pior do que aprender a correr, visto que todas as fadigas intensas e múltiplas cabem aos jovens.

GLAUCO:
— Necessariamente assim é.

***

SÓCRATES:
— Por isso, a aritmética, a geometria e todos os pressupostos culturais da dialética devem ser estudados desde a infância, sem, no entanto, conferir ao ensino uma forma reprimida.

GLAUCO:
— E por quê?

SÓCRATES:
— Porque o homem livre nada deve aprender sob coação. Na realidade, os exercícios físicos não prejudicam o corpo, mesmo se feitos à força, mas o que se faz penetrar à força na alma não há de ficar nela por longo tempo.

GLAUCO:
— É verdade.

SÓCRATES:
— Portanto, meu caro, nada de educar à força os meninos nos estudos, mas procure educá-los por meio dos brinquedos e assim você poderá discernir ainda melhor as inclinações de cada um deles.

GLAUCO:
— Palavras sensatas essas que você proferiu.

SÓCRATES:
— Você não lembra quando dizíamos que também na guerra era preciso levar os meninos como observadores a cavalo e, quando houvesse segurança, fazer com que se aproximasse para provar o sangue como se faz com cães de caça?

GLAUCO:
— Lembro, sim.

SÓCRATES:
— Em todas essas fadigas, disciplinas e riscos, aqueles que se revelarem mais resistentes deverão ser separados num grupo especial.

GLAUCO:
— Em que idade?

SÓCRATES:
— Logo depois de terem concluído os cursos obrigatórios de ginástica. Durante esse período de dois ou três anos, é impossível agir de outra forma, visto que não há como conciliar o estudo com o cansaço e o sono. Além do mais, esses cursos são por si próprios uma prova não desprezível das capacidades de cada um na ginástica.

GLAUCO:
— Sem dúvida.

SÓCRATES:
— Passado esse tempo, uma escolha será feita entre os de vinte anos, concedendo-lhes distinções especiais. Será preciso também repropor a eles o que na infância já haviam estudado sem ordem, conferindo-lhe uma visão de conjunto, a fim de lhes mostrar a afinidade recíproca das disciplinas e a natureza do ser.

GLAUCO:
— Certamente, esse é o único método seguro para aqueles que já possuíam rudimentos.

SÓCRATES:
— Não deixa de ser também a melhor prova para reconhecer quem possui predisposição para a dialética e quem não a tem. De fato, é dialético somente aquele que consegue ter uma visão abrangente.

GLAUCO:
— Plenamente de acordo.

SÓCRATES:
— Será necessário, então, fazer esse exame, individuando os melhores e os mais constantes no estudo, na guerra e nas outras atividades prescritas pela lei. Depois, quando tiverem atingido trinta anos, se procederá à seleção com distinções ainda mais importantes, provando-os com a dialética para averiguar quem seria capaz de chegar à verdade e ao ser, sem a ajuda da vista e dos outros sentidos. Neste ponto, é preciso tomar todas as precauções, meu amigo.

GLAUCO:
— Como assim?

SÓCRATES:
— Você não se deu conta de quão defeituoso é o método dialético atual?

GLAUCO:
— Em que sentido?

SÓCRATES:
— É uma confusão total.

GLAUCO:
— Isto é verdade.

SÓCRATES:
— Não lhe parece, portanto, que aqueles que se ocupam dele se encontrem numa situação embaraçosa e sejam dignos de compaixão?

GLAUCO:
— Como assim?

SÓCRATES:
— Acontece com eles o mesmo que ocorre com um filho ilegítimo, criado em meio a grandes riquezas, no seio de uma família ilustre e poderosa, rodeado por aduladores. Uma vez adulto, percebe que seus pais não são aqueles que o criaram, mas não encontra os verdadeiros. Você teria condições de me dizer como haverá de se comportar com os aduladores e com seus pais de adoção antes e depois de chegar a saber que havia sido adotado? Você quer saber minha opinião a respeito?

GLAUCO:
— Claro que quero.

***

SÓCRATES:
— Suponho que haveria de honrar seu pai, sua mãe e seus supostos parentes mais que os aduladores, menos facilmente haveria de suportar vê-los em necessidade, se esforçaria para não ofendê-los por palavras ou por seu comportamento e haveria de obedecer nas coisas mais importantes a eles do que aos bajuladores. Assim haveria de agir, enquanto desconhecesse a verdade.

GLAUCO:
— É provável.

SÓCRATES:
— Uma vez descoberta a verdade, suponho que haveria de demonstrar menor atenção e menor respeito para com os supostos pais do que para com os aduladores. A estes haveria de obedecer muito mais do que antes e seguiria seus conselhos, estaria mais assiduamente com eles mesmos em público, sem mais se preocupar muito com os supostos pais e parentes, a menos que fosse dotado de um caráter excepcionalmente nobre.

GLAUCO:
— Tudo haveria de se passar como você diz. Mas o que tem a ver essa comparação com o estudo da dialética?

SÓCRATES:
— Vou explicá-lo logo. Desde a infância, temos opiniões sobre o correto e o belo que nos foram impostas por nossos pais a quem obedecemos e dedicamos nosso respeito.

GLAUCO:
— Sim, concordo.

SÓCRATES:
— Existem também, no entanto, opiniões contrárias e mais agradáveis que adulam e atraem para si nossa alma, muito embora não possam convencer aqueles homens que tenham um certo senso de equilíbrio, que respeitam por isso as máximas tradicionais e a elas permaneçam fiéis.

GLAUCO:
— É verdade.

SÓCRATES:
— Pois bem! Quando a um homem se perguntar: "O que é o belo?, e a razão desmentir a resposta que deu por tê-la aprendido do legislador, quando mediante uma refutação veemente e constante for levado a crer que isto não é mais belo que feio e assim se proceder com relação ao justo, ao bem e ao que ele mais respeita, o que você pensa que ele vai fazer depois com o respeito e com a obediência?

GLAUCO:
— É inevitável que seu respeito e sua obediência não sejam mais como eram antes.

SÓCRATES:
— Quando, portanto, tiver perdido o respeito por aqueles valores antigos, mas não tiver encontrado ainda os verdadeiros, a única saída para sua vida não será talvez a busca daquilo que o lisonjeia?

GLAUCO:
— Sim, seria esta mesmo.

SÓCRATES:
— E, de respeitoso que era da lei, haverá de se transformar num rebelde, a meu ver.

GLAUCO:
— Inevitavelmente.

SÓCRATES:
— Assim sendo, a condição daqueles que fazem esse uso da dialética não é previsível e, como eu dizia antes, não é de desculpar?

GLAUCO:
— E também de lastimar.

SÓCRATES:
— Então, você deve educar com imensa cautela para a dialética seus discípulos de trinta anos, a fim de não expô-los do mesmo modo e torná-los dignos de compaixão.

GLAUCO:
— Por certo.

SÓCRATES:
— Já não seria grande precaução preservá-los da dialética, enquanto forem jovens? De fato, eu acho que você não esqueceu que os rapazes, apenas tenham provado a dialética, a usam como um jogo para rebater sempre, imitam os contraditórios e eles próprios contradizem outros, comprazendo-se em puxar e morder, como fazem os cãezinhos com os que deles se aproximam.

GLAUCO:
— E sentem um imenso prazer agindo dessa forma.

SÓCRATES:
— Após tantas disputas, de que ora saem vencedores, ora vencidos, acabam por cair numa desconfiança total com relação a tudo o que dantes acreditavam e, em decorrência, junto deles cai em descrédito diante dos outros toda a filosofia.

GLAUCO:
— Mais do que verdade.

SÓCRATES:
— Um homem em idade mais madura, porém, não haveria de incorrer em semelhante loucura. Pelo contrário, haveria de imitar quem quiser discutir e procurar a verdade, antes que brincar e contradizer por diversão. Agindo desse modo, ele mesmo se mostrará mais equilibrado e tornará sua profissão estimada e não desprezada.

GLAUCO:
— Correto.

SÓCRATES:
— Mesmo tudo o que eu disse antes foi ditado pela precaução de não admitir à dialética o primeiro que se apresenta, destituído de talento, mas somente os de caráter disciplinado e constante.

GLAUCO:
— Perfeitamente de acordo.

***

SÓCRATES:
— Por isso, seria suficiente conceder à dialética uma aplicação assídua e enérgica, sem fazer outra coisa, e este curso corresponderia ao que se fazia antes com a ginástica, durando o dobro?

GLAUCO:
— Seis ou quatro anos, a seu ver?

SÓCRATES:
— Mais ou menos. Fiquemos com cinco. Depois disso, você obrigaria a seus discípulos a descer novamente naquela caverna para tratar de coisas de guerra e cumprir todas as provas destinadas aos jovens, a fim de que sua expe-

riência não seja inferior a dos outros. Em todas essas ocupações, é necessário submetê-los à prova para ver se haverão de permanecer firmes contra qualquer tentação ou não cumprimento de seus deveres, por pouco que seja.

GLAUCO:
— Quanto tempo haveriam de durar essas provas?

SÓCRATES:
— Quinze anos. Ao chegar aos cinquenta anos, deverão ser selecionados aqueles poucos que se destacaram em todas as atividades práticas e em todas as disciplinas. É preciso obrigá-los a abrir os olhos da alma e voltá-los para o ser que tudo ilumina e, depois de terem visto a essência do bem e usando-a como modelo, devem se tornar guias por turno do Estado e dos cidadãos privados e ainda de si mesmos pelo resto de sua existência. Eles deverão se dedicar sobretudo à filosofia, mas, ao chegar o turno deles, deverão se empenhar a fundo nas tempestades da política e do governo do Estado, convictos que estão exercendo não algo de belo, mas de necessário e, assim, prepararão outros, deixaando a república nas mãos de outros defensores e, por fim, irão habitar nas ilhas dos bem-aventurados. O Estado, por sua vez, lhes erigirá monumentos e lhes oferecerá sacrifícios públicos, como a deuses tutelares, se o oráculo de Pítia o aprovar, caso contrário como a homens bem-aventurados e divinos.

GLAUCO:
— Você, Sócrates, tornou esses governantes belíssimos, como faz um escultor com suas estátuas.

SÓCRATES:
— E também as governantes, Glauco! Não pense que minhas palavras se refiram mais aos homens que às mulheres, pelo menos a todas aquelas que possuem os predicados indispensáveis.

GLAUCO:
— É justo, se devem, como dissemos, participar de todas as ocupações dos homens.

SÓCRATES:
— E agora, vocês não admitem que no tocante ao governo do Estado não expressamos simples anseios, mas propostas difíceis embora realizá-

veis? Somente, no entanto, da maneira em que foi dito, isto é, quando os verdadeiros filósofos, muitos ou um somente, tomarem o poder no Estado e desprezarem as honrarias atuais, considerando-as mesquinhas e vãs, e, pelo contrário, tiverem em elevada estima a correção e as honras dela decorrentes, considerarem a justiça como o valor supremo e indispensável, colocarem-se a seu serviço para torná-la mais vigorosa e organizarem seu Estado da maneira seguinte.

GLAUCO:
— Isto é?

SÓCRATES:
— Haverão de mandar para o campo todos os cidadãos acima de dez anos, haverão de manter seus filhos distantes dos atuais costumes dos pais, haverão de educá-los, segundo seus costumes e suas leis que serão as que propusemos acima. Por este processo, nosso Estado se tornará próspero de modo rápido e fácil e o povo que o viu nascer tirará o máximo proveito disso.

GLAUCO:
— Por certo e me parece, Sócrates, que você foi preciso na explicação de como esse Estado possa se realizar, se é que isso algum dia vá acontecer.

SÓCRATES:
— Com isto, concluímos os discursos sobre esse tipo de Estado e sobre o indivíduo que a ele se adapta. As palavras que proferimos já deixaram claro como este deverá ser.

GLAUCO:
— Sim, muito claro e, como você diz, a questão me parece encerrada.

Detalhe de fresco de A Escola de Atenas, no Vaticano. Obra de Rafael. Ao centro, Platão (esquerda) e Aristóteles (à direita).

PARTE 2
LIVRO 8,
DE *A REPÚBLICA*

SÓCRATES:
— Muito bem. Ficou estabelecido, portanto, Glauco, em nossa discussão, que num Estado governado à perfeição tudo deve ser comum: as mulheres, os filhos, a educação em seu conjunto, bem como as ocupações na paz e na guerra e os melhores em filosofia e na arte da guerra devem ser os soberanos.

GLAUCO:
— Sim, nisto concordamos.

SÓCRATES:
— Reconhecemos também que, uma vez estabelecidos no poder, os governantes devem guiar os soldados e alojá-los nas habitações que descrevemos, comuns a todos, onde ninguém terá nada como próprio. Além dessas habitações, estabelecemos, se você se lembra, as normas segundo as quais podem ter alguma coisa para si mesmos.

GLAUCO:
— Sim, lembro-me muito bem. Achávamos que ninguém pode ter nada daquilo que agora os outros têm e que, na qualidade de atletas da guerra e de defensores, tivessem de defender a si mesmos e aos concidadãos, recebendo como compensação o sustento anual por parte dos outros cidadãos.

SÓCRATES:
— Exatamente. Mas agora que chegamos ao fim desse problema, vejamos de que ponto partimos para esta digressão e vamos retomar o caminho de antes.

GLAUCO:
— Não é difícil. Depois de ter falado do Estado, quase nos mesmos termos de há pouco, você dizia que é bom aquele semelhante ao que você planejou, bem como o indivíduo que a ele se adapta, muito embora você desse a entender de estar em condições, pelo que parece, de sugerir um Estado e um indivíduo ainda melhores. De qualquer forma, você acrescentava que, se esta forma de governo é justa, as demais são errôneas. Se bem me recordo, você disse que existem quatro formas de governo, das quais compensa falar para trazer à luz seus defeitos e que existem quatro tipos de indivíduos que correspondem a elas. Tomando em consideração todos esses indivíduos e confrontando-os, teríamos detectado o melhor e o pior e teríamos comprovado se o melhor seria o mais feliz e o pior o mais infeliz, ou não. Mal lhe perguntei quais seriam essas quatro formas de governo, tomaram a palavra Polemarco e Adimanto e você chegou até aqui porque se empenhou em responder a eles.

SÓCRATES:
— Você se lembra mesmo com grande exatidão!

GLAUCO:
— Como os lutadores. Conceda-me a mesma oportunidade e procure responder à mesma pergunta que então você pensava em responder.

SÓCRATES:
— Sim, se puder.

GLAUCO:
— De qualquer maneira, eu também desejo entender o que você queria dizer com essas quatro formas de governo.

SÓCRATES:
— Não é difícil. As quatro formas de que falo são comuns e têm seus nomes precisos. A primeira, a mais elogiada é a de Creta e de Esparta. A segunda, também segunda em elogios, é chamada oligarquia e é uma forma de governo repleta de graves defeitos. A terceira, oposta à segunda,

mas que vem logo depois, é a democracia. Por fim, vem a nobre tirania, superior a todas as outras, quarta e suprema enfermidade de um Estado. Ou você poderia vislumbrar alguma outra forma de governo que possa ser disposta numa classe bem precisa? As monarquias hereditárias e os principados que podem ser comprados e outras formas semelhantes se incluem em nossas categorias e podem ser encontradas entre os bárbaros bem como entre os gregos.

GLAUCO:
— Sim, efetivamente são muitas e estranhas as formas de governo de que se fala.

***

SÓCRATES:
— Você sabe que há necessariamente também entre os indivíduos outras tantas categorias quantas são as formas de governo? Ou, por acaso, você acha que essas brotam de um carvalho ou de uma pedra e não do caráter dos cidadãos que as arrasta para a direção para a qual pende?

GLAUCO:
— Certamente que não e esta é a única causa.

SÓCRATES:
— Por isso, se as formas de governo fossem cinco, também os caracteres dos indivíduos deveriam ser cinco.

GLAUCO:
— Sem dúvida.

SÓCRATES:
— Daquele que corresponde ao governo aristocrático já falamos e o consideramos bom e justo.

GLAUCO:
— Sim, já o abordamos.

SÓCRATES:
— Cumpre agora passar em revista os piores. O homem que gosta do sucesso e das honrarias, segundo a constituição espartana. Depois, o oligárquico, o democrático e o tirânico. Assim, considerando o homem mais injusto em confronto com o homem mais justo, haveremos de completar nosso exame e descobrir qual a relação que subsiste entre a justiça pura e a injustiça pura com referência à felicidade e à infelicidade individuais. Ficaremos sabendo se convém procurar a injustiça, de acordo com o conselho de Trasímaco, ou a justiça, segundo o discurso que estamos desenvolvendo.

GLAUCO:
— Sim, é exatamente o que devemos fazer.

SÓCRATES:
— Como começamos a estudar as características das outras formas de governo antes que dos indivíduos, porque nos parecia mais claro dessa maneira, assim também agora cumpre-nos estudar primeiramente a timocracia. Depois, vamos examinar o homem timocrático. A seguir, a oligarquia e o homem oligárquico, sucessivamente a democracia e o homem democrático; em quarto lugar, vamos chegar a um Estado tirânico e, olhando na alma de um tirano, vamos procurar nos tornar bons juízes da questão que nos propusemos.

GLAUCO:
— Sim, procedendo dessa forma, o exame e o julgamento deveriam ser razoáveis.

***

SÓCRATES:
— Pois bem! Vamos tentar explicar como da aristocracia possa surgir a timocracia. Não é certo que toda forma de governo muda por obra de quem detém o poder, quando nele mesmo se gera discórdia? Porque, se o indivíduo está em acordo consigo mesmo, é impossível qualquer mudança, mesmo a menor.

GLAUCO:
— É assim mesmo.

SÓCRATES:
— Como então, nosso Estado poderia ser perturbado e os defensores e governantes poderiam estar em desacordo entre eles e com os outros? Você quer que invoquemos as musas, como faz Homero, para que nos digam como começou a sobrevir a discórdia e, brincando e se divertindo conosco como se fôssemos crianças, o explicassem para nós, em tom trágico e num estilo sublime, como se estivessem falando sério?

GLAUCO:
— De que modo?

SÓCRATES:
— Mais ou menos assim. "É difícil que um Estado organizado como o vosso venha a se desmantelar. Como, porém, tudo o que nasce se corrompe, nem essa organização é eterna e um dia vai se desagregar. E a desagregação vai ocorrer da seguinte maneira. Não só as plantas com raízes, mas também os seres vivos sobre a superfície da terra estão sujeitos à fecundidade e à esterilidade espirituais e físicas, sempre que as revoluções periódicas concluem os ciclos de cada um dos seres, curtos para aqueles de vida breve e longos para aqueles de vida longa. Aqueles que vós educastes como vossos governantes, embora sábios, não haverão de conseguir adivinhar, nem com a razão nem com a experiência, os períodos de fecundidade e de esterilidade de vossa raça, visto que haverão de fugir de seu alcance. Assim sendo, haverão de colocar no mundo filhos no momento errado. Para a raça divina, o período fecundo está compreendido dentro de um número perfeito. Para a humana, ao contrário, é o número menor, dentro do qual a multiplicação de raízes e de potências, em três distâncias e em quatro limites (de elementos que determinam a assimilação, a dissimilação, o crescimento e a diminuição) tornam correspondentes e congruentes entre si todas as coisas. Sua base epítrita, unida ao número cinco e elevada à terceira potência, se exprime em duas harmonias. Uma de um número igual de vezes, cem vezes cem. A outra, composta de fatores em parte iguais e em parte diversos, isto é, de cem quadrados das diagonais racionais de cinco, cada uma diminuída de uma unidade, e de cem quadrados das diagonais irracionais, diminuídas de duas unidades, e de cem cubos de três.

Este número geométrico preside em seu conjunto os nascimentos positivos e negativos. Quando vossos guardiães o ignorarem e unirem de modo inoportuno os jovens às moças, os filhos que nascerem não serão nobres nem afortunados. Seus predecessores haverão de colocar na chefia do Estado os melhores entre esses. No entanto, indignos da sucessão, apenas guindados aos cargos dos pais, começarão por desinteressar-se de nós, ainda que sejam guardiões, fazendo pouco caso da música e depois da ginástica e, em decorrência, vossos jovens haverão de se tornar mais incultos. Entre eles, haverão de surgir governantes pouco interessados em zelar pelo Estado e em discernir as raças de Hesíodo, como aquelas de ouro, de prata, de bronze e de ferro que entre vós haverão de surgir. A mistura do ferro com a prata e do bronze com o ouro haverá de produzir a desigualdade, a desproporção e a desarmonia que, ao se entrechocarem, sempre dão lugar à guerra e à inimizade. Essa deve ser considerada a origem da discórdia, onde quer que se verifique."

GLAUCO:
— É preciso convir que as musas não se enganam.

SÓCRATES:
— Sem dúvida, pois que são musas.

GLAUCO:
— E que mais dizem as musas?

SÓCRATES:
— Uma vez eclodida a revolta, cada uma das duas raças, a de ferro e a de bronze, se voltam aos negócios, à aquisição de terras, de casas, de ouro, de prata, enquanto as duas outras raças, a de ouro e a de prata, não sendo pobres, mas, por natureza espiritualmente ricas, se inclinam para a virtude e para a restauração da antiga organização. Depois, porém, de grandes lutas e oposições recíprocas, entram em acordo para a partilha de terras e de casas a título privado. E aqueles que antes eram defendidos por seus concidadãos como homens livres, seus amigos e mantenedores, são subjugados como súditos e escravos, enquanto aqueles continuam a ocupar-se da guerra e da defesa dos demais.

GLAUCO:
— Parece-me que seja mesmo essa a origem da sublevação.

SÓCRATES:
— Esta forma de governo, portanto, seria intermediária entre a aristocracia e a oligarquia?

GLAUCO:
— Não há dúvida alguma.

***

SÓCRATES:
— A mudança acontecerá desse modo. E, depois, como se haverá de governar? Por acaso, não é evidente que esse governo, sendo intermediário, haverá de imitar a aristocracia de um lado e de outro a oligarquia, mas que deverá ter também algumas características próprias?

GLAUCO:
— Assim deverá ser.

SÓCRATES:
— Não haverá de imitar, pois, a forma precedente de governo no respeito pelos governantes, na abstenção por parte dos guerreiros dos trabalhos agrícolas e manuais e dos negócios, na organização de refeições comunitárias e no cuidado em cultivar os exercícios de ginástica e as artes marciais?

GLAUCO:
— Certamente.

SÓCRATES:
— Mas o receio de que os sábios tomem o poder, visto que não haverá mais homens simples e firmes, mas somente homens de caráter ambíguo; a inclinação para as faculdades emotivas e mais simples, bem mais adequadas para a guerra que para a paz; o grande apreço para com a astúcia e os estratagemas de guerra, o hábito de combater continuamente, todas essas não seriam as características próprias de tal governo?

GLAUCO:
— Evidente.

SÓCRATES:
— Homens assim não seriam, portanto, ávidos por dinheiro, como ocorre nos Estados oligárquicos, selvagens que em locais sombrios adoram o ouro e a prata, visto que haverão de ter caixas e cofres privados onde colocar e esconder seus bens. Encerrados no recinto de suas casas como num ninho afastado, aí haverão de gastar elevadas somas para com suas mulheres e para qualquer outro que lhes dê prazer.

GLAUCO:
— É a pura verdade.

SÓCRATES:
— Haverão de ser, portanto, ávidos por dinheiro que conseguem em segredo e ao qual prestam culto, ao mesmo tempo em que são impelidos pelo desejo a serem pródigos dos bens alheios. Dados aos prazeres secretos, haverão de transgredir a lei, como os filhos fogem dos pais, no entanto educados não pela persuasão, mas pela coação, e isso porque já terão desprezado a verdadeira musa da palavra e da filosofia, dando preferência à ginástica em detrimento da música.

GLAUCO:
— Você está falando de uma forma de governo em que realmente o bem e o mal se misturam.

SÓCRATES:
— E assim é de fato. Mas ela possui uma característica peculiar e evidente, isto é, o domínio da emotividade que provoca intriga e ambição.

GLAUCO:
— Sem dúvida alguma.

SÓCRATES:
— Assim, pois, seria essa forma de governo, embora eu tenha traçado com minhas palavras somente um rápido esboço da constituição, sem descer em seus detalhes, porque para nós é suficiente que o esquema consinta distinguir o homem mais justo daquele mais injusto. Além do mais, passar em revista todas as formas de governo com todas as suas características peculiares, sem menosprezar detalhe algum, seria tarefa infinitamente delongada.

GLAUCO:
— Tem razão.

✳✳✳

SÓCRATES:
— Qual o homem, portanto, que corresponde a esta forma de governo? Qual seu caráter?

ADIMANTO:
— Acho que deva ser ambicioso, mais ou menos como este Glauco, sentado aqui a nosso lado.

SÓCRATES:
— Sim, talvez, mas, sob outros aspectos, me parece diferente.

ADIMANTO:
— Em que sentido?

SÓCRATES:
— Nosso homem deve ser mais arrogante e um pouco mais inculto, embora não de todo, amante da música e das discussões, mas totalmente desprovido de eloquência. Um homem desse tipo seria duro com os escravos, sem chegar a desprezá-los como quem possui uma educação perfeita; seria afável com os homens livres, extremamente obediente aos governantes, zeloso de poder e de honrarias, decidido a comandar, não com o poder da palavra ou com outro expediente similar, mas somente por meio de seus dotes e empreendimentos militares, dado com paixão à ginástica e à caça.

ADIMANTO:
— Sim, esse parece mesmo ser o caráter que corresponde a essa forma de governo.

SÓCRATES:
— Um homem desses pode desprezar o dinheiro enquanto é jovem, mas, quanto mais envelhece, tanto mais haverá de amá-lo, porque seu caráter está propenso aos negócios e sua inclinação à virtude é impura, uma vez que privada de seu fiel guarda.

ADIMANTO:
— Qual?

SÓCRATES:
— A aliança da razão com a música. Este é, na vida, o único meio de conservar para sempre a virtude que já se possui.

ADIMANTO:
— Tem razão.

SÓCRATES:
— E esse é o jovem timocrático, imagem dessa forma de governo.

ADIMANTO:
— Exatamente.

SÓCRATES:
— Sua formação é mais ou menos esta. Ainda jovem, tem no pai um homem honesto, que vive num Estado malgovernado, que foge das honrarias, do poder, das causas judiciais, de todo embaraço e prefere permanecer obscuro para não se envolver em problemas.

ADIMANTO:
— Mas como se desenvolve o caráter de nosso jovem?

SÓCRATES:
— Quando começa a ouvir sua mãe se lamentar que o marido não está envolvido com os governantes e por isso ela se sente inferior às outras mulheres. Ela nota que seu marido pouco se importa com o dinheiro, não luta e não se envolve em litígios privados, nem nos tribunais e na política, mas, ao contrário, suporta indolentemente as ofensas dos outros. Ela se dá conta de que o marido pensa somente em si mesmo, despreocupado em demonstrar apreço por ela e até indiferente em lhe dirigir qualquer ofensa. Por todos estes motivos, ela o odeia e começa a dizer para o filho que o pai dele é um homem covarde, fraco demais e tudo o que as mulheres dizem normalmente em tais casos.

ADIMANTO:
— Queixumes sem fim que são realmente dignos das mulheres.

SÓCRATES:
— Você sabe que, por vezes, até os servos desses homens falam desse modo às escondidas aos ouvidos dos filhos, supondo com isso dar provas de afeição por eles. Ao verem o pai que não cobra judicialmente um devedor ou algum desonesto, incitam o filho a punir a todos quando adulto e a ser mais homem que o pai. Saindo de casa, o rapaz assiste outras coisas desse tipo. Nota que são tachados de imbecis e desprezados aqueles que na cidade só cuidam do que lhes compete, ao passo que os outros são enaltecidos e elogiados. Ao ouvir e ver tudo isso, o jovem,

que vinha escutando seu pai e observando seu comportamento, o confronta com o dos outros e é atraído por ambos os lados. Por seu pai que irriga e fortalece a razão do jovem e pelos demais que, ao contrário, cultivam a parte concupiscível e aquela emotiva de seu caráter. Sua índole não é má, mas andou frequentando más companhias e assim acaba no meio, arrastado por uns e outros, entregando o domínio de si mesmo ao partido intermediário, ambicioso e emotivo, e se torna, ao cabo de tudo, soberbo e ambicioso.

ADIMANTO:
— Parece-me que você explicou muito bem a gênese desse homem.

SÓCRATES:
— Esta é, portanto, a segunda forma de governo e esse o segundo indivíduo.

ADIMANTO:
— Sim, este mesmo.

****

SÓCRATES:
— Vamos repetir agora o verso de Ésquilo: "Aqui está outro homem posto em outro Estado". Ou, de acordo com nosso plano, haveríamos de considerar primeiro o Estado?

ADIMANTO:
— Melhor.

SÓCRATES:
— Acho que a forma de governo sucessiva possa ser a oligarquia.

ADIMANTO:
— Mas o que você entende por oligarquia?

SÓCRATES:
— A organização do Estado fundada sobre a renda, aquela em que os ricos governam e os pobres são privados de todo poder.

ADIMANTO:
— Entendo.

SÓCRATES:
— Antes, porém, não seria necessário esclarecer como ocorre a passagem da timocracia para a oligarquia?

ADIMANTO:
— Sim.

SÓCRATES:
— Apesar de que esta passagem seja evidente até para um cego.

ADIMANTO:
— Por quê?

SÓCRATES:
— A ruína da timocracia decorre daquele cofre cheio de ouro que cada um possui como bem particular. Em primeiro lugar, porque inventam todo tipo de ocasiões para se entregar aos gastos e, a isto, eles mesmos bem como suas mulheres, dobram as leis.

ADIMANTO:
— Sim, provavelmente é isso.

SÓCRATES:
— Depois, eu acho, andam se espiando e se corroendo de inveja um para com o outro, tornando o povo igual a si próprios.

ADIMANTO:
— Também é provável que seja assim.

SÓCRATES:
— A partir desse momento, passam a entregar-se desenfreadamente para poupar mais riquezas. E quanto mais as apreciam, tanto mais despre-

zam a virtude. Mas entre a riqueza e a virtude não subsiste aquela diferença que, se ambas postas nos pratos de uma balança, uma não pode subir sem a outra baixar?

ADIMANTO:
— Evidente.

SÓCRATES:
— Assim sendo, se num Estado a riqueza e os ricos são estimados, a virtude e os honestos são desprezados.

ADIMANTO:
— Certamente.

SÓCRATES:
— Acaba-se por procurar sempre mais o que se aprecia e descurar o que é objeto de desprezo.

ADIMANTO:
— É verdade.

SÓCRATES:
— Por fim, esses homens, de começo tão só ambiciosos, se transformam em negociantes interesseiros, passando a admirar e a elogiar os ricos, a quem entregam o poder, enquanto os pobres são objeto de desprezo.

ADIMANTO:
— Com toda a certeza.

SÓCRATES:
— Passam então a fixar por lei o limite da constituição oligárquica, estabelecendo uma renda tanto mais elevada, quanto mais forte for a oligarquia e tanto mais baixa quanto mais fraca for, proibindo o acesso a cargos públicos a quem não atinge essa renda com seu patrimônio. Essa lei é imposta por força das armas ou ainda com o terror. Não é assim?

ADIMANTO:
— Exatamente assim.

SÓCRATES:
— Temos aí, em breves palavras, o que vem a ser esta forma de governo.

ADIMANTO:
— Sim, mas quais seriam, segundo nosso modo de ver, suas características e seus defeitos?

***

SÓCRATES:
— O primeiro defeito é representado por seu próprio limite. Pense bem! Se os comandantes dos navios fossem escolhidos tendo-se em conta somente a renda, seriam excluídos os pobres, apesar de serem superiores em capacidade.

ADIMANTO:
— Sua navegação iria muito mal!

SÓCRATES:
— Não haveria de acontecer o mesmo para qualquer outro cargo?

ADIMANTO:
— Acho que sim.

SÓCRATES:
— Também a propósito do governo de um Estado ou não necessariamente?

ADIMANTO:
— Sem dúvida alguma, pois isso vale tanto mais quanto mais importante for o cargo.

SÓCRATES:
— Aí está, portanto, um grave defeito da oligarquia.

ADIMANTO:
— Parece-me de todo evidente.

SÓCRATES:
— E este seria inferior ao primeiro?

ADIMANTO:
— Qual?

SÓCRATES:
— A inevitável presença de dois Estados num só. Aquele dos ricos e aquele dos pobres, coexistentes, mas sempre rivais.

ADIMANTO:
— Não, por Zeus, esse defeito não é certamente menos grave que o outro.

SÓCRATES:
— Além do mais, não há muita vantagem para um governo assim, visto que não poderia sequer enfrentar uma guerra, por ver-se obrigado a entregar as armas ao povo e a temê-lo mais que os próprios inimigos. Ou, por outra, não se servir dele, revelando-se radicalmente oligárquicos também nas batalhas, além do fato de não querer, por avareza, contribuir para o custeio da guerra.

ADIMANTO:
— Não é realmente grande vantagem.

SÓCRATES:
— Além disso, lhe pareceria justo o que já desaprovamos, isto é, empregar no mesmo Estado os mesmos cidadãos simultaneamente na agricultura, no comércio e na guerra?

ADIMANTO:
— De jeito nenhum.

SÓCRATES:
— Reflita agora e considere se o pior mal não seria aquele que primeiro o atinge.

ADIMANTO:
— Qual?

SÓCRATES:
— A possibilidade de vender todos os próprios bens e de comprar os dos outros e, depois de tê-los vendido, a faculdade de permanecer no Estado, sem dele participar como comerciante, nem como artesão, nem como cavaleiro, nem como soldado de infantaria, sem nenhum título, a não ser o de pobre e indigente.

ADIMANTO:
— Sim, essa é a pior das desgraças.

SÓCRATES:
— Certamente, nos Estados oligárquicos, não há preocupação quanto a isso. Caso contrário, não haveria alguns cidadãos riquíssimos e outros absolutamente pobres.

ADIMANTO:
— Correto.

SÓCRATES:
— Considere também isto. Quando era rico e gastava, esse cidadão era por acaso mais útil ao Estado no que tange ao que falávamos antes? Ou só se fazia passar por um dos governantes, sendo na realidade nem governante nem súdito no próprio Estado, mas somente um esbanjador dos próprios bens?

ADIMANTO:
— Assim deve ser. Apesar das aparências, não passava de um dissipador.

SÓCRATES:
— Se assim achar, pois, podemos dizer que esse flagelo do Estado nasce numa família como num favo nasce o zangão, flagelo da colmeia?

ADIMANTO:
— Exatamente assim, Sócrates.

SÓCRATES:
— Aqui, porém, Adimanto, subsiste uma diferença, visto que a divindade não deu o ferrão a nenhum zangão alado, ao passo que, a esses de duas patas, alguns os tornou inofensivos, enquanto outros foram dotados de um terrível ferrão. Aqueles

privados de ferrão acabam por se tornarem velhos esfarrapados, enquanto todos aqueles dotados de ferrão engrossam o número dos malfeitores.

ADIMANTO:
— É a pura verdade.

SÓCRATES:
— Parece, pois, claro que em qualquer Estado onde houver miseráveis, haverá também ladrões, assaltantes, sacrílegos e malfeitores de toda espécie.

ADIMANTO:
— Evidente.

SÓCRATES:
— Mas você não vê que nos Estados oligárquicos há miseráveis?

ADIMANTO:
— Quase todos o são, salvo os governantes.

SÓCRATES:
— Não deveríamos, portanto, acreditar que neles existam muitos malfeitores dotados de ferrão, contidos continuamente à força pelos governantes?

ADIMANTO:
— Devemos acreditar nisso!

SÓCRATES:
— E não deveríamos afirmar que a situação deles haveria de ser tributada à ignorância, à má educação e à organização do próprio Estado?

ADIMANTO:
— Por certo.

SÓCRATES:
— Esse é, portanto, o Estado oligárquico e esses seus defeitos, se não forem ainda mais numerosos.

ADIMANTO:
— Possível que seja assim.

SÓCRATES:
— Concluímos também com a descrição sobre a forma de governo chamada oligarquia, aquela governada com base na renda. Vamos ver agora como nasce e como se comporta o homem que se enquadra nesse Estado.

ADIMANTO:
— Muito bem.

***

SÓCRATES:
— Acaso não é assim que acontece para ele a passagem do espírito timocrático para o oligárquico?

ADIMANTO:
— Como?

SÓCRATES:
— O filho de um homem timocrático começa por imitar seu pai e seguir suas pegadas. Depois vê que ele de improviso cai em desgraça, batendo contra o Estado como um navio bate contra os penhascos. Isso porque, depois de ter sacrificado seus bens e a si mesmo como estrategista nos exércitos ou como chefe de qualquer outro cargo relevante, é levado aos tribunais pelas calúnias dos sicofantas e perde a vida ou é exilado ou fica privado dos próprios bens e dos direitos de cidadão.

ADIMANTO:
— É provável.

SÓCRATES:
— Vendo e suportando todas essas desgraças, meu amigo, este, já temeroso e esbulhado de seus bens, desbanca do trono de sua alma a ambição e a emotividade, eu acho, e se lança aos negócios. Poupando até sordidamente e empenhando-se como poucos, paulatinamente consegue fazer fortuna. Depois de tudo isto, você não acredita que esse homem faça subir ao trono de sua alma o espírito de cobiça e de avareza, concedendo a elas o absoluto

império de si mesmo, ornando-o com a tiara e as faixas e colocando-lhe às mãos a espada de lâmina larga e curva?

ADIMANTO:
— Acho que sim.

SÓCRATES:
— Quanto à razão e à coragem, acho que as coloca a seus pés, de lado e de outro, e passa a servir aquele espírito de cobiça e avareza. Obriga à primeira a não calcular e a não estudar senão os meios com os quais possa aumentar seu próprio dinheiro e, à segunda, a não admirar e a não respeitar senão a riqueza e os ricos, além de não se deixar elogiar por qualquer outro mérito, a não ser pela posse de dinheiro e de tudo o que possa multiplicá-lo.

ADIMANTO:
— Não existe outro meio tão rápido e eficaz para voltar para a avidez um jovem ambicioso.

SÓCRATES:
— E este, por acaso, não é o homem oligárquico?

ADIMANTO:
— Sim, a transformação individual pela qual passa o torna em tudo semelhante à forma de governo de que nasce a oligarquia.

SÓCRATES:
— Vejamos agora se este se assemelha à ela.

ADIMANTO:
— Vamos ver.

***

SÓCRATES:
— Antes de tudo, não pode se assemelhar à ela pelo extraordinário apreço pelo dinheiro?

ADIMANTO:
— Certamente.

SÓCRATES:
— E também no fato de ser econômico e ativo, de satisfazer somente as exigências necessárias, sem conceder-se qualquer outro tipo de gasto e refreando como inúteis os outros desejos?

ADIMANTO:
— Exatamente.

SÓCRATES:
— É um homem sórdido, faz dinheiro com qualquer coisa, sempre aumentando seu tesouro, um daqueles que o povo admira. Por acaso, não é esse o homem que espelha fielmente a oligarquia?

ADIMANTO:
— Parece-me que sim. Por certo que, num Estado desses e num cidadão como esse, o dinheiro goza de elevadíssimo prestígio.

SÓCRATES:
— Claro que tal homem jamais se haverá de interessar pela cultura.

ADIMANTO:
— Não me parece. Caso contrário, não teria posto um cego como guia do coro, prestando-lhe tantos louvores.

SÓCRATES:
— Muito bem. Preste atenção ainda nisto. Não poderíamos afirmar que por sua incultura surjam nele desejos semelhantes aos dos zangões, alguns miseráveis, outros maléficos, apenas contidos em seus limites por suas outras preocupações?

ADIMANTO:
— Por certo.

SÓCRATES:
— Você sabe, portanto, para onde se deveria olhar para descobrir sua maldade?

ADIMANTO:
— Para onde?

SÓCRATES:
— Para a tutela dos órfãos e para qualquer outra ocasião semelhante que se lhe apresente, em que se pode agir desonestamente sem temor algum.

ADIMANTO:
— É verdade.

SÓCRATES:
— Por isso mesmo, não é evidente que esse homem, nas demais relações em que conquista boa reputação de justiça, reprime seus maus impulsos com um louvável disfarce, mas sem persuadi-los que assim seria melhor, nem os aplacando com a razão, e sim premido pela necessidade e pelo medo, visto que treme pelo resto de seu patrimônio?

ADIMANTO:
— Exatamente.

SÓCRATES:
— E, por Zeus, na maioria desses homens, quando se trata de gastar o dinheiro dos outros, esses desejos aparecem como zangões.

ADIMANTO:
— Estou certo disso.

SÓCRATES:
— Um homem desses não pode fugir ao contraste interior, pois não é uma só pessoa, mas duas, porque nutre desejos inconciliáveis, mesmo que geralmente os melhores sobrepujem os piores.

ADIMANTO:
— É assim mesmo.

SÓCRATES:
— Por isso, acho que é mais respeitado que muitos outros, mas a verdadeira virtude de uma alma em harmonia e concordância consigo mesma foge para bem longe dele.

ADIMANTO:
— Sou do mesmo parecer.

SÓCRATES:
— Quando se trata de disputar uma vitória ou qualquer outro prêmio individual em jogos no Estado, o homem parcimonioso é um concorrente fraco, porque não quer gastar dinheiro em competições de prestígio, receoso de poder despertar os desejos pródigos que o levem a colaborar com a ambição. Por isso, como verdadeiro oligárquico, combate utilizando poucos recursos e, no mais das vezes, perde, embora conserve seus próprios bens.

ADIMANTO:
— Por certo.

SÓCRATES:
— Haveríamos de hesitar ainda para configurar uma semelhança entre o Estado oligárquico e o homem poupador e mercantilista?

ADIMANTO:
— De maneira alguma.

***

SÓCRATES:
— Cumpre-nos agora, pelo que parece, estudar o surgimento e as características da democracia e depois avaliar o caráter do homem democrático.

ADIMANTO:
— Poderíamos seguir nosso procedimento habitual.

SÓCRATES:
— A passagem da oligarquia à democracia não seria acaso determinado, quase sempre, pela insaciabilidade dos próprios desejos, pela necessidade de se tornar o mais rico possível?

ADIMANTO:
— Em que sentido?

SÓCRATES:
— Os governantes, devendo seus postos à sua riqueza, não querem refrear por lei os jovens que se entregam à libertinagem e impedir-lhes que dilapidem seus patrimônios, porque, na realidade, querem comprá-los e emprestar dinheiro a juros para esses jovens, a fim de se tornarem ainda mais ricos e poderosos.

ADIMANTO:
— Sim, este é seu principal objetivo.

SÓCRATES:
— E já não se torna evidente que num Estado os cidadãos não podem apreciar a riqueza e, ao mesmo tempo, cultivar neles o espírito de moderação, porque inevitavelmente haverão de menosprezar a riqueza ou a temperança?

ADIMANTO:
— Sim, é bem evidente.

SÓCRATES:
— Assim, os governos oligárquicos, permitindo que se dedicassem à libertinagem, reduziram por vezes à pobreza homens de condição não ignóbil.

ADIMANTO:
— Por certo.

SÓCRATES:
— Eu acho, porém, que esses permanecem no próprio Estado, providos de ferrões e bem-armados, alguns como devedores, outros desonrados, outros ainda a um tempo devedores e desonrados, repletos de ódio e de vontade de atacar os outros cidadãos e sobretudo aqueles que lhes subtraíram os bens, enfim, ansiosos por fazer eclodir uma revolução.

ADIMANTO:
— Assim é, precisamente.

SÓCRATES:
— Os agiotas, que caminham de cabeça baixa fingindo não vê-los sequer, destroem com sua riqueza quem quer que ceda ante a ganância deles e, enquanto multiplicam os juros de seu capital, multiplicam no Estado os zangões e os miseráveis.

ADIMANTO:
— E como poderia ser diversamente?

SÓCRATES:
— Mas não querem eliminar essa desgraça nem quando está para se incendiar, evitando de impedir a cada um de suar seus próprios bens, conforme seu agrado, e de fazer uma lei especial para suprimir esses desregramentos.

ADIMANTO:
— Que lei?

SÓCRATES:
— Uma segunda lei contra os esbanjadores para obrigar os cidadãos a voltar-se à virtude. De fato, se esta impusesse que a maior parte das transações voluntárias fosse feita com o risco para quem empresta, no Estado seriam levados a efeito menos negócios vergonhosos. Além disso, menos desgraças haveriam de surgir, como aquelas que há pouco citamos.

ADIMANTO:
— Sim, muito menos, sem dúvida.

SÓCRATES:
— Em vez disso, os governantes, por todos estes motivos, reduziram a esta situação os súditos, enquanto eles e seus jovens filhos se entregam ao luxo, à inércia física e espiritual, incapazes de resistir, por preguiça, aos prazeres e à dor.

ADIMANTO:
— É verdade.

SÓCRATES:
— Sem cuidado algum por todas as coisas, excetuando-se os negócios, não se preocupam com a virtude como não o fazem com os pobres.

ADIMANTO:
— Certamente que não.

SÓCRATES:
— Nessas condições, quando os governantes e os súditos se encontram lado a lado em viagens ou em quaisquer outras ocasiões de encontro ou

numa procissão ou na guerra ou numa travessia por mar ou durante o serviço militar ou, quando se observam reciprocamente no próprio momento do perigo, os pobres certamente se saem muito bem em confronto com os ricos. Melhor ainda, muitas vezes, um pobre robusto e bronzeado, em ordem de batalha ao lado de um rico que cresceu à sombra e com muita carne supérflua, vê que este não tem fôlego e é incapaz. E você não acha que ele vai pensar que essas pessoas se enriqueceram por causa de sua covardia e que os pobres, encontrando-se juntos, se encorajariam dizendo: "Essa gente está em nossas mãos, não vale nada!".

ADIMANTO:
— Sim, eu também sei que pensam exatamente assim.

SÓCRATES:
— Assim como um pequeno agente externo basta para deixar enfermo um corpo fraco, chegando por vezes a deixá-lo em mau estado, assim também um Estado em situação análoga por um motivo fútil, enquanto uns pedem socorro a outro Estado oligárquico e outros a um Estado democrático, adoece e combate contra si mesmo e, por vezes, sem que o socorro externo intervenha, eclode a guerra civil.

ADIMANTO:
— E muito violenta, ainda por cima.

SÓCRATES:
— A democracia se estabelece, portanto, a meu ver, quando os pobres vencem, massacram alguns, mandam para o exílio outros e, com os restantes, dividem em condições de igualdade o governo e as magistraturas que, no mais das vezes, são distribuídas por sorteio.

ADIMANTO:
— De fato, este regime é a democracia que se estabelece quer pelas armas, quer pelo medo dos adversários que preferem partir para o exílio.

***

SÓCRATES:
— E de que maneira esses governam? Como se constitui esse regime? Claro que o cidadão que o acata deve ser chamado democrático.

ADIMANTO:
— Sim, é claro.

SÓCRATES:
— Antes de mais nada, os cidadãos são livres e o Estado respira liberdade e transparência, cada um podendo fazer o que quiser.

ADIMANTO:
— Pelo menos, é o que se diz.

SÓCRATES:
— Mas onde reina essa liberdade, é evidente que cada um pode organizar a própria vida como melhor lhe agradar.

ADIMANTO:
— Sim, é evidente.

SÓCRATES:
— Logo, sobretudo nesse regime, acho que se pode encontrar gente de todo tipo.

ADIMANTO:
— Como não.

SÓCRATES:
— E talvez seja o melhor regime. Como uma peça multicolor, assim também este, tecido de todos os caracteres, pode parecer o mais belo. Assim pode parecer talvez a muitos, por exemplo às mulheres e crianças, que admiram a variedade.

ADIMANTO:
— Por certo.

SÓCRATES:
— E ali é fácil, caro amigo, estabelecer um governo.

ADIMANTO:
— Por quê?

SÓCRATES:
— Porque, graças à liberdade, contém todo tipo de governo e quem quiser, como nós agora, fundar um Estado, seria melhor chegar-se a um Estado democrático e escolher qualquer forma de governo que lhe agrade, como se escolhem os objetos na feira, e depois reproduzi-lo.

ADIMANTO:
— Sim, e, com certeza, modelos não haveriam de faltar.

SÓCRATES:
— O fato de que nesse Estado não subsista a obrigação de governar, nem para quem pudesse exercer o cargo, nem de ser governado, se não o quiser, nem de combater em caso de guerra, nem de viver em paz com os outros, se não desejar a paz, e, no entanto, a liberdade de exercer o governo e a justiça, quando a oportunidade se apresentar, mesmo que uma lei o vete, esse modo de vida não é à primeira vista sumamente agradável?

ADIMANTO:
— Talvez, mas só à primeira vista.

SÓCRATES:
— E não é invejável a serenidade de alguns condenados? Num regime desses, você nunca viu homens condenados à morte ou ao exílio permanecerem, apesar disso, e passear entre a multidão como heróis, como se ninguém se preocupasse com eles nem os visse?

ADIMANTO:
— Pelo contrário, vi e muitos!

SÓCRATES:
— E a tolerância e a extrema liberalidade de ideias na democracia, melhor, o desprezo por aqueles valores de que falávamos com respeito, quando fundávamos nosso Estado, certamente não podem tornar honesto quem não tenha um caráter superior, quem desde a infância não se tenha dedicado a belos jogos e a belas ocupações. Pelo contrário, com quanta leviandade se calcam aos pés todas as coisas, sem se preocupar com as bases

de onde partir para a vida política, mas limitando-se a proclamar-se amigo do povo!

ADIMANTO:
— Deveras, um ótimo governo!

SÓCRATES:
— Estas e outras vantagens semelhantes pode ter a democracia. Seria, ao que parece, um regime agradável, desordenado e variado, garantindo igualdade para quem é igual e para quem não o é.

ADIMANTO:
— Sim, conheço bem tudo isso.

***

SÓCRATES:
— Considere agora o perfil do homem democrático. Ou, antes, não seria o caso de examinar, como foi feito para a forma de governo, de que modo surge?

ADIMANTO:
— Sim.

SÓCRATES:
— Talvez sua gênese seja esta. Aquele oligarca avarento não teria tido talvez um filho que teria criado nos mesmos costumes?

ADIMANTO:
— Por que não?

SÓCRATES:
— Esse filho, a exemplo do pai, não haveria de reprimir à força seus desejos de dispêndio e inimigos da poupança, aqueles que são definidos exatamente como não necessários?

ADIMANTO:
— É claro.

SÓCRATES:
— Se você quiser, pois, para não discutir às cegas, vamos definir antes quais são os prazeres necessários e quais não.

ADIMANTO:
— De acordo.

SÓCRATES:
— Não é correto considerar necessários aqueles que não podem ser reprimidos e que é útil satisfazê-los? Porque esses não se pode não desejá-los naturalmente. Não é assim?

ADIMANTO:
— Certamente.

SÓCRATES:
— Teremos razão, portanto, de lhes aplicar o conceito de necessário.

ADIMANTO:
— Sim, teremos razão.

SÓCRATES:
— E não faríamos bem em definir não necessários todos aqueles prazeres que podem ser rejeitados, se a isso nos habituarmos desde jovens, e cuja realização não traz nenhum efeito positivo, quando não provoca por vezes consequências negativas?

ADIMANTO:
— Faríamos bem.

SÓCRATES:
— Não seria bom, portanto, escolher um exemplo de uns e outros para termos uma ideia mais exata?

ADIMANTO:
— Com certeza.

SÓCRATES:
— O desejo de comer iguarias e outros pratos para conservar uma saúde com vigor, não seria talvez necessário?

ADIMANTO:
— Acho que sim.

SÓCRATES:
— Em tal caso, o desejo de boa comida é duplamente necessário, visto que é útil e indispensável para a vida.

ADIMANTO:
— Sim.

SÓCRATES:
— Isso valeria também para merendas e petiscos, desde que contribuam para o bem-estar físico.

ADIMANTO:
— Exatamente.

SÓCRATES:
— Mas o desejo que vai além disto e exige manjares sofisticados, desejo que, no entanto, a maioria pode reprimir e sufocar desde a juventude com a educação, que é prejudicial ao corpo e à alma, quando se quer primar pela racionalidade e pela temperança, este poderia ser corretamente definido como não necessário?

ADIMANTO:
— Sem sombra de dúvida.

SÓCRATES:
— Não poderíamos afirmar também que alguns são desejos que levam ao desperdício, enquanto outros são desejos instrumentais, visto que são úteis à nossa atividade?

ADIMANTO:
— Com certeza.

SÓCRATES:
— Poderíamos dizer o mesmo com referência aos prazeres amorosos e aos outros correlatos?

ADIMANTO:
— Sim, o mesmo.

SÓCRATES:
— Também o homem, portanto, a quem chamamos de zangão está repleto, como dizíamos, desses prazeres e desejos, vivendo sob o domínio daqueles não necessários. E o homem dominado pelos prazeres necessários não é oligárquico e avarento?

ADIMANTO:
— Sem dúvida.

***

SÓCRATES:
— Por isso, vamos voltar a descrever a transformação do homem oligárquico em democrático. A meu ver, isto se processa assim.

ADIMANTO:
— Como?

SÓCRATES:
— Quando um jovem, criado como dissemos sem cultura e de modo mesquinho, prova do mel dos zangões e se vê na companhia desses insetos agitados e perigosos, capazes de lhe proporcionar divertimentos de todo tipo, de qualquer espécie e qualidade, fique então certo que nele haverá de ocorrer o princípio da mudança da oligarquia à democracia.

ADIMANTO:
— É quase inevitável.

SÓCRATES:
— Como, pois, o Estado se transformava com o auxílio externo em outro partido do mesmo gênero, assim também o jovem não se transforma com o auxílio externo de um gênero de desejos semelhante num dos dois gêneros que estão nele?

ADIMANTO:
— Exatamente.

SÓCRATES:
— Mas se, da parte contrária ou do pai ou de outros familiares que o haverão de censurar e humilhar, chegar um auxílio ao partido oligárquico, então eu acho que em seu íntimo deverão se produzir discórdia, revolução e contrarrevolução.

ADIMANTO:
— Com certeza.

SÓCRATES:
— Eu acho que, por vezes, o partido democrático cede ao oligárquico e alguns de seus desejos desaparecem, outros são eliminados, se na alma do jovem penetrar a vergonha; e assim, ele retorna à ordem.

ADIMANTO:
— Sim, por vezes isso acontece.

SÓCRATES:
— Ocorre também que, depois da derrocada daqueles desejos, muitos outros afins se desenvolvem em segredo e se tornam fortes por causa da má educação recebida do pai.

ADIMANTO:
— Sim, isso geralmente ocorre.

SÓCRATES:
— Esses o arrastam para companhias da mesma espécie e de sua união clandestina surge uma multidão de outros similares.

ADIMANTO:
— Com certeza.

SÓCRATES:
— No fim, a meu ver, conquistam a cidadela da alma do jovem, certificando-se que está vazia de conhecimentos, de bons hábitos e de princípios verdadeiros que, no espírito daqueles que são caros aos deuses, são as sentinelas e os guardas mais seguros.

ADIMANTO:
— Sim, e bem mais seguros.

SÓCRATES:
— Em seu lugar, acorrem para ocupar aquela cidadela discursos falsos e presunçosos, além de opiniões fúteis.

ADIMANTO:
— Não há dúvida alguma.

SÓCRATES:
— E o jovem não haverá de voltar a morar abertamente junto desses lotófagos? Se dos familiares chegar algum auxílio para a parte poupadora de sua alma, aqueles discursos fúteis haverão de fechar nele as portas das muralhas reais e não haverão de deixar entrar aquele auxílio, não haverão de acolher como embaixadores os discursos dos mais velhos, mas haverão de vencer a batalha e mandar para um exílio desonroso a vergonha, chamando-a de estupidez, e haverão de expulsar a temperança, chamando-a de covardia e cobrindo-a de lama, convencendo assim o jovem de que a moderação e a regularidade nas despesas são indícios de mesquinhez vulgar e acabando por expulsar das fronteiras também aquelas, com a ajuda de muitos e inúteis desejos.

ADIMANTO:
— Certamente.

SÓCRATES:
— Depois de tê-la esvaziado completamente, eles tomam e iniciam a alma desse jovem com grandes ritos de iniciação, depois introduzem nela, ricamente coroadas e acompanhadas de solene cortejo, a arrogância, a anarquia, a libertinagem e a indecência, louvando-as e cobrindo-as de elogiosos apelativos. Assim, eles chamam de educação a insolência, de liberdade a anarquia, de magnificência a libertinagem, de coragem a impudicícia. Não é mais ou menos dessa maneira que um jovem passa do regime dos prazeres necessários à liberação e à entrega de si mesmo aos prazeres supérfluos e inúteis?

ADIMANTO:
— Sim, é claramente dessa maneira.

SÓCRATES:
— Depois esse jovem vive esbanjando dinheiro, tempo e fadigas para os prazeres supérfluos, bem como para os necessários. Se ele se sentir bem assim e tiver a ventura de não levar a extremos seus abusos, se aplacado quando um pouco mais maduro e acalmada sua pior turbulência, é levado a acolher grupos de exilados e a não se entregar totalmente aos invasores, passando então a estabelecer uma espécie de paridade entre seus prazeres, conferindo sucessivamente o domínio de si próprio ao prazer da vez, como se fosse sorteado, para que seja realizada e depois segue outro, sem desprezar nenhum, ao contrário, alimentando-os todos em pé de igualdade.

ADIMANTO:
— Exatamente.

SÓCRATES:
— Ele não aceita nem deixa entrar em sua cidadela qualquer discurso verdadeiro, nem se interessa em ouvir dizer que alguns prazeres se referem a desejos honestos, mas outros desejos são maus e que se torna necessário cultivar e apreciar os primeiros, mas é preciso reprimir e punir os últimos. Ele se nega a tudo, afirmando que todos os prazeres são iguais e todos devem ser desfrutados da mesma maneira.

ADIMANTO:
— Com essa disposição de espírito, ele age exatamente assim.

SÓCRATES:
— Passa, portanto, todos os seus dias para satisfazer o primeiro desejo que aparece. Ora bebe vinho e escuta flauta, depois bebe água e segue uma dieta de emagrecimento, ora faz ginástica, mas, por vezes, se entrega ao ócio e se desinteressa de tudo, ora chega até a discutir filosofia, depois se dedica à vida pública e fica por aí dizendo e fazendo tudo o que lhe passa pela cabeça. Se sente entusiasmo pelos guerreiros, junta-se a eles, depois muda de direção e se mistura com os negociantes. Em sua existência não há ordem nem coação, mas vive convencido que ela é prazerosa, livre e feliz.

ADIMANTO:
— Você descreveu de modo sensacional a existência de um amigo da igualdade.

SÓCRATES:
— Mas acho também que este homem é variado e rico de humores diversos, belo e variegado como o Estado que se lhe assemelha. Muitos homens e mulheres poderiam invejar seu modo de vida, porque encerra em si muitíssimos modelos de governos e de caracteres.

ADIMANTO:
— Assim é, na verdade.

SÓCRATES:
— Vamos, então, colocar um homem desse tipo na democracia? Poderíamos defini-lo corretamente como democrático?

ADIMANTO:
— Sim, vamos defini-lo assim.

***

SÓCRATES:
— Agora nos resta descrever o melhor dos regimes e o melhor dos indivíduos. A tirania e o tirano.

ADIMANTO:
— É verdade.

SÓCRATES:
— Pois bem, amigo! Qual é a característica da tirania? Parece-me quase evidente que ela surge da degeneração da democracia.

ADIMANTO:
— Sim, é evidente.

SÓCRATES:
— Logo, como da oligarquia se origina a democracia, assim da democracia se origina a tirania.

ADIMANTO:
— De que maneira?

SÓCRATES:
— O objetivo que se havia proposto e com qual se originou a oligarquia não era a riqueza excessiva?

ADIMANTO:
— Sim.

SÓCRATES:
— O que, porém, a levou à ruína foi o insaciável desejo de riqueza e a indiferença diante de todos os outros valores por causa do mercantilismo.

ADIMANTO:
— É verdade.

SÓCRATES:
— E a ruína da democracia também não é provocada pelo desejo insaciável por aquilo que lhe deu origem?

ADIMANTO:
— Mas qual é esse bem?

SÓCRATES:
— A liberdade. Num Estado democrático, você haverá de ouvir que ela é o bem supremo e que, portanto, todo aquele que tiver um caráter livre deveria viver somente nesse.

ADIMANTO:
— É o que se diz com frequência.

SÓCRATES:
— Como eu lhe dizia, portanto, não seriam esse desejo insaciável e a indiferença perante todos os outros valores que transformam este regime e o preparam para que se instale a tirania?

ADIMANTO:
— Em que sentido?

SÓCRATES:
— A meu ver, um Estado democrático, sedento de liberdade e quando servido por maus copeiros, perde todo controle, inebriando-se de liberdade pura, pune seus governantes, a menos que estes não sejam realmente complacentes e não concedam grande liberdade, acusando-os de malvados que aspiram à oligarquia.

ADIMANTO:
— É assim que agem.

SÓCRATES:
— Acho ainda que trata com desprezo os cidadãos que respeitam os governantes, considerando-os escravos voluntários que nada valem, ao passo que elogia e admira em particular e em público os governantes que são semelhantes aos súditos e os súditos que são semelhantes aos governantes. Num Estado desses, porém, não é inevitável que a inclinação à liberdade se estenda a todas as coisas?

ADIMANTO:
— E como não?

SÓCRATES:
— E que penetre ainda, meu caro amigo, nas casas das famílias e que, finalmente, se instale a anarquia até entre os animais?

ADIMANTO:
— O que é que você quer dizer com isso?

SÓCRATES:
— Por exemplo, que um pai se acostume a se tornar como seu filho e a temer seus próprios filhos, e o filho se torne como seu pai e, para ser livre, não tenha mais nem respeito e nem receio de seus pais. Mais ainda, que o mero residente se coloque no mesmo plano do cidadão e que o cidadão no mesmo grau desse residente, o mesmo ocorrendo com os estrangeiros.

ADIMANTO:
— É, de fato, o que anda acontecendo.

SÓCRATES:
— Há ainda, contudo, outros pequenos inconvenientes. Em situações semelhantes, o mestre tem medo dos alunos e os adula, os alunos desprezam os mestres e preceptores. Numa palavra, os jovens se comportam como os velhos e os contestam com palavras e com fatos, ao passo que os velhos, para se tornarem agradáveis aos jovens, descambam para a afetação, imitando os jovens para não serem tachados de duros e tiranos.

ADIMANTO:
— É isso mesmo.

SÓCRATES:
— Num Estado desses, caro amigo, o limite extremo da liberdade excessiva é atingido, quando os homens e as mulheres comprados não são menos livres que seus compradores. Quase ia me esquecendo de dizer quanta igualdade e liberdade subsistem nas relações entre homens e mulheres!

ADIMANTO:
— Logo, segundo a expressão de Ésquilo, conviria "dizer tudo o que nos vem à boca"?

SÓCRATES:
— Exatamente. E é justamente o que estou fazendo. Precisaria ver para crer, como até os animais por lá são mais livres que em qualquer outro Estado. De fato, segundo diz o provérbio, as cadelas se assemelham às patroas, os cavalos e os burros são acostumados a andar livres e elegantes, atropelando pelas estradas quem quer que não lhes abra passagem. Enfim, tudo ali respira da mesma maneira plena liberdade.

ADIMANTO:
— Você acaba de contar o que conheço muito bem, porque acontece o mesmo comigo, quando vou ao campo.

SÓCRATES:
— Mas você sabe muito bem qual é a consequência de tudo isso. O ânimo dos cidadãos se enfraquece a ponto de não suportar nenhum tipo de coação que, ao contrário, os incita à revolta. Finalmente, como você sabe, não se interessam sequer pelas leis, escritas ou não escritas, desde que não venham a ter sob hipótese alguma um patrão.

ADIMANTO:
— Estou perfeitamente a par disso.

***

SÓCRATES:
— Pois é, meu amigo, a meu ver, é desse belo e vigoroso governo que se origina a tirania.

ADIMANTO:
— Vigoroso mesmo! Mas o que acontece depois?

SÓCRATES:
— A mesma doença que leva à ruína a oligarquia, sendo que, neste regime, irrompe ainda mais forte e violenta por causa da excessiva liberdade, levando a democracia à servidão. Com efeito, geralmente todo excesso provoca a reação contrária, fenômeno que se observa nas estações, nas plantas, nos animais, mas sobretudo nas formas de governo.

ADIMANTO:
— É natural.

SÓCRATES:
— Na realidade, a excessiva liberdade quase sempre degenera em excessiva servidão, tanto para os cidadãos, quanto para o Estado.

ADIMANTO:
— Logicamente.

SÓCRATES:
— Por isso, é de todo natural que a tirania se origine somente da democracia ou, em outras palavras, acho que a mais absoluta e intolerável servidão se origine da mais pura liberdade.

ADIMANTO:
— É natural.

SÓCRATES:
— Parece-me, no entanto, que não era isto que você queria saber, mas qual seria o flagelo que leva à ruína tanto a oligarquia como a democracia.

ADIMANTO:
— É verdade.

SÓCRATES:
— Pois bem! Por esse flagelo eu pretendia falar daquele tipo de indivíduos ociosos e esbanjadores, entre os quais os mais corajosos seguem na frente e os mais fracos os seguem na esteira. Comparamos os primeiros aos zangões providos de ferrão e os segundos, aos inofensivos.

ADIMANTO:
— Correto.

SÓCRATES:
— Estes dois grupos de homens se encontram em todo regime e fazem estragos, como no corpo humano faz a anasarca e a bílis. Mas o bom médico e legislador de um Estado, da mesma forma que um bom apicultor, deve impedir com todas as precauções, em primeiro lugar, que se multipliquem ou, como mínimo, cortá-los o mais rápido possível junto dos favos que os hospedam.

ADIMANTO:
— Sim, por Zeus, deve fazer exatamente isso!

SÓCRATES:
— Para distinguir da melhor maneira o que procuramos, vamos proceder, portanto, desta maneira.

ADIMANTO:
— Como?

SÓCRATES:
— Vamos dividir o Estado democrático nas três partes de que, na realidade, se compõe. A primeira é talvez aquela classe que nele se forma por causa da permissividade como ocorre no regime oligárquico.

ADIMANTO:
— É verdade.

SÓCRATES:
— Só que nesse regime muito mais radicalmente que naquele.

ADIMANTO:
— O que você quer dizer?

SÓCRATES:
— Na oligarquia é pouco influente e fraca, porque não é apreciada e não é convidada a ocupar cargos públicos. Ao contrário, na democracia, é a parte preponderante, com poucas exceções, e são os mais radicais que falam e agem, enquanto os outros, sentados em torno da tribuna, resmungam e não toleram opositores, de tal modo que num regime desses quase tudo é decidido por essa gente.

ADIMANTO:
— É o que ocorre.

SÓCRATES:
— Mas existe outra classe que vive sempre segregada do povo.

ADIMANTO:
— Qual seria?

SÓCRATES:
— Enquanto todos se entregam a suas ocupações, geralmente a maior parte da riqueza se concentra nas mãos daqueles que possuem um caráter mais equilibrado.

ADIMANTO:
— É natural.

SÓCRATES:
— Dessa gente, a meu ver, que os zangões sugam o mel em maior abundância e o mais nutritivo.

ADIMANTO:
— Sem dúvida, visto que como se poderia sugar de quem pouco possui?

SÓCRATES:
— E estes, a meu ver, são os ricos que são chamados de "filhos dos zangões".

ADIMANTO:
— Parece que sim.

SÓCRATES:
— A terceira classe seria composta pelo povo, pelos artesãos e por aqueles que participam dos negócios públicos e são donos de pequenos patrimônios. Na democracia, porém, representam a classe mais poderosa quando se unem.

ADIMANTO:
— De fato, é assim, mas sem mel não se dispõem a se unir.

SÓCRATES:
— No entanto, mel sempre lhes é dado, pelo menos, quando o podem os governantes que despojam de seus bens os ricos e os distribuem ao povo, embora conservem para si a maior parte.

ADIMANTO:
— Sim, desse modo é que é feita a distribuição.

SÓCRATES:
— Eu acho que, vendo-se espoliados, os ricos se sentem obrigados a falar e a agir no meio do povo, usando de todos os meios para se defender dos espoliadores.

ADIMANTO:
— Com certeza.

SÓCRATES:
— Mesmo que não queiram a revolução, são acusados pelos outros de conspirar contra o povo e de aspirar à oligarquia.

ADIMANTO:
— Sem dúvida.

SÓCRATES:
— Finalmente, quando descobrem que o povo tenta prejudicá-los, não por ter consciência, mas por ser ignorante e insuflado pelos caluniadores. Então, se

transformam realmente, quer queiram quer não, em oligarcas. Esse também, contudo, é um mal produzido pelo ferrão do zangão.

ADIMANTO:
— É verdade.

SÓCRATES:
— Assim é que se desencadeiam as denúncias, os processos e as acusações recíprocas.

ADIMANTO:
— Com certeza.

SÓCRATES:
— O povo, porém, não tem o infalível hábito de confiar seus interesses a um protetor que procura engrandecer e conferir-lhe todo o poder?

ADIMANTO:
— É o que faz.

SÓCRATES:
— Está claro, pois, que o tirano, quando surge, não se origina de outra raiz que não daquela de um protetor do povo.

ADIMANTO:
— Muito claro, com certeza.

SÓCRATES:
— Por que motivo, porém, o protetor se transforma em tirano? Não acontece como na fábula que se conta a respeito do templo de Zeus Liceu na Arcádia?

ADIMANTO:
— Que fábula?

SÓCRATES:
— Aquela que narra que aquele que tivesse saboreado vísceras humanas misturadas com as de outras vítimas de sacrifícios, haveria de se transformar inevitavelmente em lobo. Mas será possível que você nunca ouviu falar dela?

ADIMANTO:
— Já ouvi, sim.

SÓCRATES:
— Pois bem! De igual modo, um chefe, quando se encontra diante de um povo demasiado submisso, não se abstém de empapar-se de sangue semelhante ao seu. Mediante falsas acusações, como acontece quase sempre, arrasta seus partidários para os tribunais, macula-se com delitos, tirando a vida de alguns, saboreando com a boca e a língua impuras sangue semelhante ao seu, sempre que manda para o exílio e manda matar, propondo depois aos outros a supressão das dívidas e nova distribuição das terras. Se não fizer isso, necessária e fatalmente não morrerá pelas mãos de seus inimigos ou, então, tornar-se-á um tirano, convertendo-se, de homem que era, em lobo?

ADIMANTO:
— Realmente é inevitável.

SÓCRATES:
— Aí está ele, portanto, em guerra aberta contra os ricos.

ADIMANTO:
— Sim.

SÓCRATES:
— Se acaso for exilado e retornar depois, apesar de seus inimigos, não haveria de voltar como perfeito tirano?

ADIMANTO:
— Certamente.

SÓCRATES:
— Se os súditos, porém, não podendo derrubá-lo ou condená-lo à morte mediante calúnias públicas, não haveriam de arquitetar um modo de tirar-lhe a vida secretamente, causando-lhe morte violenta?

ADIMANTO:
— Sim, geralmente é o que fazem.

SÓCRATES:
— É, então, que se dá o caso de todos os que chegam a esse posto recorrerem ao famoso pretexto de pedir ao povo uma escolta especial para defender o protetor do povo.

ADIMANTO:
— É verdade.

SÓCRATES:
— E o povo, pelo que me parece, cheio de confiança em si mesmo, concede-a, temendo pela segurança do protetor.

ADIMANTO:
— É o que acontece.

SÓCRATES:
— Quando, pois, um homem rico e como tal antipático ao povo, se dá conta disso, então, meu amigo, como diz o oráculo a Creso: "Foge para o Hermo pedregoso, retira-se e sequer pensa em ser tachado de covarde".

ADIMANTO:
— E faz muito bem, porque não poderia permitir-se passar pela segunda vez por esse temor.

SÓCRATES:
— Se for preso, porém, acho que isso lhe haveria de custar a vida.

ADIMANTO:
— Com toda a certeza.

SÓCRATES:
— Mas é claro que esse mesmo chefe "não fica distendido em belo repouso por muito tempo", mas, depois de ter eliminado muitos rivais, galga o mais alto posto do Estado e, com isso, já se tornou não um simples governante, mas um perfeito tirano.

ADIMANTO:
— Sem dúvida.

***

SÓCRATES:
— Deveríamos agora descrever a felicidade do cidadão e do Estado em que surge indivíduo desses?

ADIMANTO:
— Vamos descrevê-la.

SÓCRATES:
— Nos primeiros dias, não distribui a quantos encontre sorrisos e saudações, dizendo que não é um tirano? Não faz as mais belas promessas em particular e em público? Não perdoa as dívidas, não distribui terra ao povo e a seus partidários e não se mostra afável e benévolo com todos?

ADIMANTO:
— Precisa agir assim.

SÓCRATES:
— Depois, a meu ver, quando se livrou dos inimigos externos, mediante alianças com alguns e eliminando outros, sentindo-se bem seguro desse lado, continua a fomentar simulacros de guerras para que o povo sinta a necessidade de um verdadeiro chefe.

ADIMANTO:
— É provável.

SÓCRATES:
— E também para que os cidadãos, já empobrecidos pelos tributos, se vejam obrigados a pensar em suas necessidades cotidianas e não passem a conspirar contra ele.

ADIMANTO:
— Evidente.

SÓCRATES:
— E, de certo, para matar aqueles que suspeita que sejam demasiado livres de espírito para se dobrarem e deixar-lhe o poder, en-

tregando-os ao inimigo com um pretexto qualquer. Não seriam esses todos motivos de que um tirano teria necessidade para estar sempre às voltas com alguma guerra?

ADIMANTO:
— Por certo.

SÓCRATES:
— Procedendo desse modo não se torna odioso para os cidadãos?

ADIMANTO:
— E como não!

SÓCRATES:
— Também aqueles, portanto, que o ajudaram a tomar o poder haveriam de falar com franqueza a ele e entre eles, criticando seu modo de agir, se para tanto tiverem coragem?

ADIMANTO:
— É provável.

SÓCRATES:
— Por isso, o tirano deverá eliminar a todos eles para dominar em paz e, sem distinção de amigos e inimigos, não deverá ficar com ninguém que lhe faça sombra à sua volta.

ADIMANTO:
— É claro.

SÓCRATES:
— Deverá ter olhos perspicazes para distinguir rapidamente quem é corajoso, quem é generoso, quem é inteligente e quem é rico. E tal será sua situação que se verá obrigado, quer queira quer não, a se declarar inimigo de todos eles e mover-lhes guerra sem tréguas, até que deles tenha conseguido purificar o Estado.

ADIMANTO:
— Bela purificação!

SÓCRATES:
— Sim, exatamente o contrário da que os médicos utilizam para purificar o corpo. De fato, esses extirpam o pior e deixam o melhor, enquanto ele faz precisamente o oposto.

ADIMANTO:
— Não resta, porém, ao tirano outra maneira, se quiser ter o domínio total.

***

SÓCRATES:
— Sim, ele está mesmo num dilema realmente agradável que o obriga a viver entre muita gente medíocre que o odeia ou simplesmente a não viver!

ADIMANTO:
— Sim, é verdade.

SÓCRATES:
— E não é certo que, quanto mais odioso se tornar aos cidadãos com esse comportamento, tanto mais terá necessidade de um corpo de guarda mais numeroso e fiel?

ADIMANTO:
— Assim terá de ser.

SÓCRATES:
— Mas quem lhe será fiel? Onde irá buscar gente assim?

ADIMANTO:
— Se puder pagar, ajudará gente de todo lado e espontaneamente.

SÓCRATES:
— Pelo cão! Parece que você está falando de zangões estrangeiros e recolhidos às pressas!

ADIMANTO:
— E é assim.

SÓCRATES:
— Mas não poderia talvez em seu próprio país...

ADIMANTO:
— O quê?

SÓCRATES:
— Tirar os escravos dos patrões, libertá-los e transformá-los em seus próprios guardas pessoais?

ADIMANTO:
— Com certeza, visto que esses seriam os mais fiéis a ele.

SÓCRATES:
— É realmente esplêndida a situação do tirano de que você fala, se tiver de conservar como amigos fiéis estes indivíduos, depois de ter matado os de antes!

ADIMANTO:
— Quer queira, quer não, seus homens são exatamente esses.

SÓCRATES:
— E esses seus novos companheiros passariam a admirá-lo e ficariam com ele como seus novos cidadãos, enquanto as pessoas honestas haveriam de odiá-lo e evitá-lo?

ADIMANTO:
— Por que não?

SÓCRATES:
— Não é sem razão que a tragédia é considerada uma obra de arte sábia, particularmente aquela de Eurípides.

ADIMANTO:
— O que é que quer dizer?

SÓCRATES:
— Entre as muitas que pronunciou, se encontra esta máxima profunda: "Os tiranos se tornam sábios pela companhia de homens sábios." Evidentemente queria dizer que sábios são aqueles com quem o tirano vive.

ADIMANTO:
— E proclama ainda que a tirania é divina. Ele e outros poetas a elogiam muito!

SÓCRATES:
— Por essa razão, os poetas trágicos, que são sábios, haverão de perdoar a nós e a quantos se comportam como nós, se não os recebermos em nosso Estado, visto que exaltam a tirania.

ADIMANTO:
— Acredito que os mais educados entre eles nos haverão de perdoar.

SÓCRATES:
— Apesar de tudo, a meu ver, esses levam os Estados para a tirania e a democracia, vagando pelas cidades, reunindo multidões e pagando vozes belas, volumosas e persuasivas.

ADIMANTO:
— Assim é.

SÓCRATES:
— Além disso, eles recebem dinheiro e são elogiados sobretudo por parte dos tiranos, como é natural, e por parte da democracia. Quanto mais, porém, tentarem aproximar-se de formas de governo superiores, tanto mais haverá de diminuir seu prestígio, como se fossem incapazes de seguir adiante por falta de alento.

ADIMANTO:
— É exatamente assim.

***

SÓCRATES:
— Nós nos deixamos levar, entretanto, pela divagação. Vamos falar novamente daquela bela guarnição, numerosa, variada, sempre renovada e vamos ver o que o tirano haveria de fazer para mantê-la.

ADIMANTO:
— É evidente que haveria de começar por saquear o tesouro sagrado do Estado e até o momento em que os lucros da venda lhe fossem suficientes, haveria de diminuir os tributos impostos ao povo.

SÓCRATES:
— E quando esses fundos se tivessem esgotado?

ADIMANTO:
— Evidentemente, ele e seus partidários, seus amigos e suas amantes haveriam de viver dos bens de família.

SÓCRATES:
— Entendo. Caberia ao povo, portanto, que gerou este tirano, mantê-lo juntamente com seus amigos.

ADIMANTO:
— É praticamente inevitável.

SÓCRATES:
— Mas como!? Se o povo se indignasse e lhe dissesse que não é justo que um filho adulto tenha de ser mantido pelo pai? Porque, ao contrário, ele deveria ser mantido pelo filho. Não haveria de lhe dizer que não o gerou e não lhe conferiu o poder para se tornar, uma vez crescido, o escravo de seus escravos e manter a ele e a seus escravos com uma multidão de outros estranhos, mas para livrar-se dos ricos sob sua tutela e daqueles que no Estado eram tidos como honestos? Não haveria de lhe ordenar agora que se retire do Estado, junto de seus amigos, como um pai expulsa de casa o filho, junto de seus hóspedes mal-educados?

ADIMANTO:
— Então, por Zeus, o povo haveria de compreender que tipo de fera pôs no mundo, acariciou e criou e que, mesmo sendo mais fraco, estaria pretendendo expulsar aquele que é mais forte.

SÓCRATES:
— Mas o que você está dizendo? O tirano se atreveria a usar de violência contra o pai e maltratá-lo se não lhe obedecesse?

ADIMANTO:
— Sim, e bem antes já o teria desarmado.

SÓCRATES:
— Mas você está falando de um tirano parricida e péssimo protetor da velhice. Pelo que parece, você está descrevendo talvez a tirania como é conhecida por todos. Segundo o provérbio, o povo, tentando evitar a fumaça da escravidão sob homens livres, caiu no fogo a serviço de escravos e, em lugar daquela excessiva e pura liberdade, pôs sobre si mesmo o jugo da mais dura e amarga escravidão.

ADIMANTO:
— Sim, é isto mesmo que ocorre.

SÓCRATES:
— Pois bem! Estaríamos exagerando ao dizer que já discutimos o suficiente a respeito da transição da democracia à tirania e suas características?

ADIMANTO:
— Não, essa explicação é deveras suficiente.

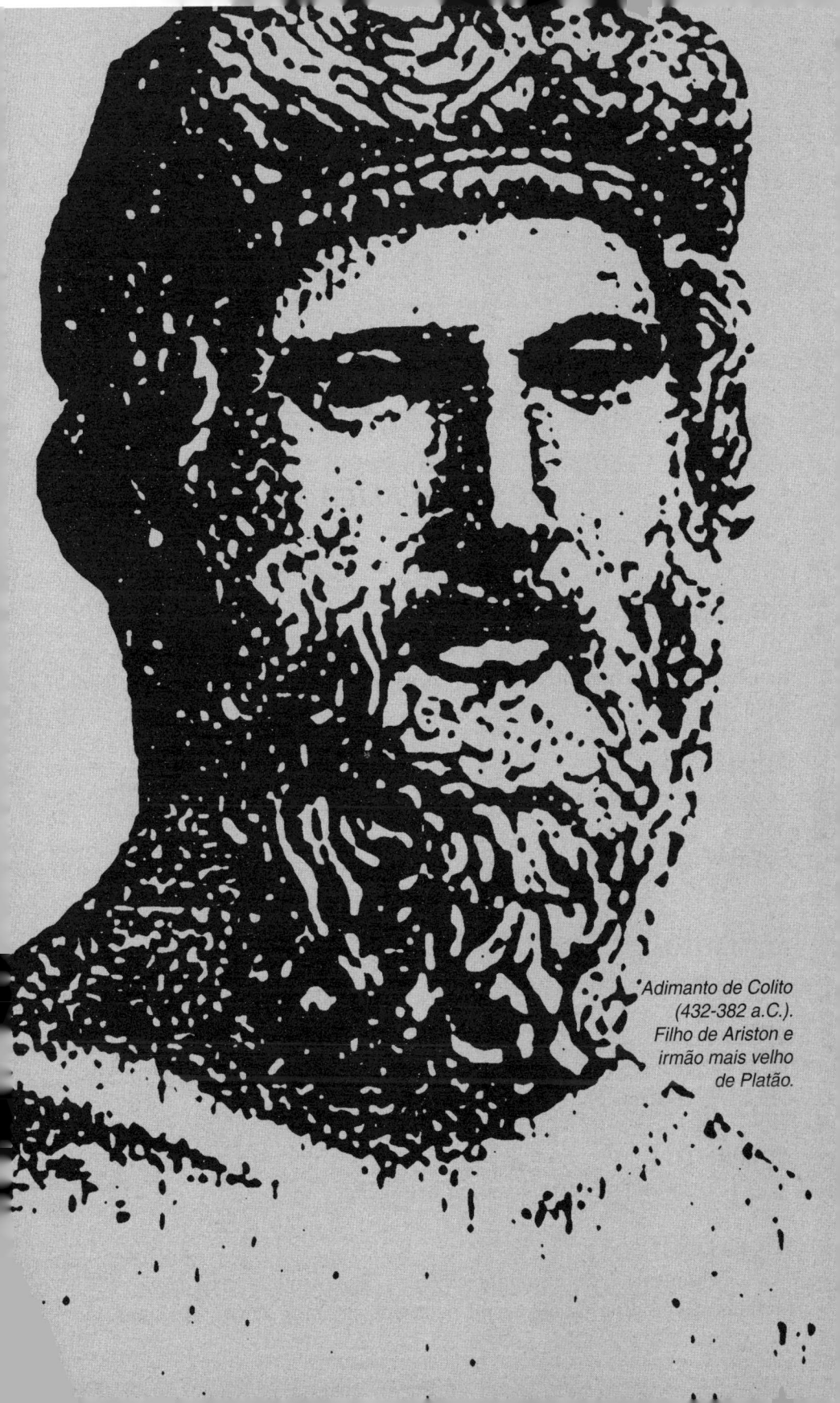

*Adimanto de Colito (432-382 a.C.). Filho de Ariston e irmão mais velho de Platão.

PARTE 3

LIVRO 9, DE *A REPÚBLICA*

SÓCRATES:
— Agora resta-nos estudar somente o homem tirânico, sua origem da transformação do homem democrático, seu comportamento e sua vida, feliz ou infeliz.

ADIMANTO:
— Sim, é o que falta considerar.

SÓCRATES:
— Você sabe o que quero ainda?

ADIMANTO:
— O quê?

SÓCRATES:
— Parece que não esclarecemos de modo suficiente quais e quantos são os desejos. Essa lacuna poderá dificultar nossa busca.

ADIMANTO:
— Não podemos, porém, remediar isso agora?

SÓCRATES:
— Certamente. E era essa minha intenção. Pois bem! Entre os desejos e os prazeres não necessários, alguns me parecem ilegítimos. Talvez subsistam em

todos, mas se forem reprimidos pelas leis e por exigências mais elevadas, com a ajuda da razão em alguns indivíduos desaparecem por completo ou permanecem isolados e enfraquecidos, ao passo que em outros se tornam mais fortes e numerosos.

ADIMANTO:
— Mas de que desejos e prazeres você está falando?

SÓCRATES:
— Daqueles que despertam durante o sono, quando a alma racional que exerce uma suave autoridade sobre a outra, enquanto aquela animalesca e selvagem, repleta de comida e de bebida, agita-se e procura sair para satisfazer suas inclinações, recusando-se a dormir. E você sabe que em tal estado, como se fosse livre e desvinculada de todo controle racional, ela se atreve a tudo. De fato, sequer hesita em tentar unir-se à mãe, ou pelo menos assim acredita, ou a qualquer homem, deuses ou animal. Não hesita em manchar-se com todo tipo de assassinato, em não se abster de qualquer comida, numa palavra, não reprime em si mesma qualquer atributo e qualquer indecência.

ADIMANTO:
— O que você diz é a pura verdade.

SÓCRATES:
— Mas um homem sábio e moderado que se dispõe a dormir depois de ter despertado a própria razão e tê-la nutrido de belos discursos e estudos, em paz consigo mesmo, sem irritar a parte concupiscível de sua alma com jejum ou com uma alimentação excessiva, a fim de adormecer e não perturbar a alma racional com a alegria nem com a dor, ao contrário, deixando-a só consigo mesma a meditar sobre alguma coisa que ignora do passado ou do presente ou do futuro; um homem que tenha aplacado a parte emotiva sem ter-se irado com ninguém e vá dormir sem perturbações emotivas, mas que tenha sossegado essas duas partes e colocado em ação a terceira, a reflexão, e assim repouse, então, como você sabe, em tal condição ele capta da maneira mais profunda a verdade e não lhe aparecem, de modo algum, essas visões ímpias nos sonhos.

ADIMANTO:
— Acho que seja assim mesmo.

SÓCRATES:
— Acabamos por falar demais dessas coisas, mas o que queremos observar é o seguinte: há uma espécie de desejos perigosos, selvagens e desenfreados também naqueles que parecem muito equilibrados. E esses desejos se manifestam nos sonhos. Veja lá se minhas palavras lhe parecem sensatas e se você está disposto a aprová-las.

ADIMANTO:
— Certamente as aprovo.

***

SÓCRATES:
— Relembre agora nossa descrição do homem democrático. Dizíamos que havia sido criado por um pai econômico, que só apreciava os desejos ligados aos negócios e desprezava aqueles supérfluos, ligados à diversão e à exterioridade. Não é assim?

ADIMANTO:
— Sim.

SÓCRATES:
— Esse jovem, tendo entrado em contato com homens mais refinados e cheios de desejos que enumeramos, acabou por se tornar pronto a qualquer excesso e a viver como eles avesso à parcimônia paterna, mas dotado de uma índole melhor que seus corruptores, arrastado para ambas as direções. Firma seu próprio caráter na posição intermediária, desfrutando com moderação de todo prazer, assim pelo menos lhe parece, e vive uma existência não desordenada nem ilegítima e de oligarca se transformou em democrata.

ADIMANTO:
— De fato, esta é a ideia que nos fazíamos a respeito.

SÓCRATES:
— Tente supor agora que esse homem, já velho, tenha por sua vez um filho educado nos mesmos hábitos.

ADIMANTO:
— Certo.

SÓCRATES:
— Vamos supor agora que o rapaz tenha o mesmo destino de seu pai e que se entregue a um desregramento total que seus sedutores chamariam de independência completa. Seu pai e o resto de sua família haveriam de favorecer os desejos equilibrados, mas haveriam de se opor aos outros. Quando esses terríveis magos e criadores de tiranos se desesperam para dominar de outro modo um jovem, procuram infundir-lhe no coração um amor que preside os desejos ociosos e dispendiosos, como se fosse uma espécie de grande zangão alado. Você acha que o afeto desses seja qualquer outra coisa?

ADIMANTO:
— Não creio que seja outra coisa.

SÓCRATES:
— Quando, porém, os outros desejos zumbem em torno dele, cheios de incenso, de perfumes, de coroas, de vinho e de prazeres dissolutos próprios dessas companhias, alimentando e fomentando ao extremo o ferrão do desejo, então esse tirano da alma é escolhido pela loucura e se agita e, se surpreende em si alguma opinião ou desejo considerado honesto e ainda provido de moderação, o suprime e o arranca de seu coração, até se purificar da temperança e estar tomado pela loucura antes desconhecida.

ADIMANTO:
— Descrição perfeita do processo pelo qual se forma o homem tirano.

SÓCRATES:
— E não será por esta razão que há muito tempo o amor é chamado de tirano?

ADIMANTO:
— É provável.

SÓCRATES:
— E o bêbado não teria também, meu amigo, alguma coisa do tirano?

ADIMANTO:
— Sim, tem.

SÓCRATES:
— E o homem louco e perturbado tenta e acha que sabe comandar não somente os homens, mas até os deuses.

ADIMANTO:
— Sem dúvida.

SÓCRATES:
— Portanto, caro amigo, um homem se torna realmente tirano quando, por natureza ou por hábito ou por causa de ambos, torna-se beberrão, apaixonado e louco.

ADIMANTO:
— Assim é.

***

SÓCRATES:
— Essa é, ao que parece, sua origem. Mas como vive?

ADIMANTO:
— Como se diz brincando, é você quem vai dizer.

SÓCRATES:
— Pois bem, vou dizê-lo. Aquele que estiver completamente dominado em seu coração pela tirania de Eros, acho que vai passar todo o seu tempo em festas, prazeres, banquetes e mulheres.

ADIMANTO:
— Necessariamente.

SÓCRATES:
— E não serão muitos, indômitos e insaciáveis os desejos que surgem dia e noite?

ADIMANTO:
— Certamente muitos.

SÓCRATES:
— Esses indivíduos dissipam rapidamente suas rendas.

ADIMANTO:
— Sem dúvida.

SÓCRATES:
— Contraem depois empréstimos e dilapidam o patrimônio.

ADIMANTO:
— É inevitável.

SÓCRATES:
— Quando nada mais lhes sobrar, não é inevitável que os desejos fogosos e violentos passem a piar como pintinhos, feridos pelo ferrão de outros desejos e sobretudo pelo próprio amor, a quem os demais desejos servem como de guarda pessoal e escolta? Então, esse homem se agita e procura subtrair alguma coisa de alguém com artifícios ou mesmo com violência.

ADIMANTO:
— E para tanto, se empenha ferozmente.

SÓCRATES:
— Assim, se vê obrigado a surripiar quanto lhe apareça ao alcance das mãos ou tornar-se vítima de dores atormentadoras.

ADIMANTO:
— Não tem outra saída.

SÓCRATES:
— Do mesmo modo que nele os novos prazeres suplantavam e destronavam os antigos, assim também ele, mais jovem que seu pai e sua mãe, haverá de pretender possuir mais bens do que eles e os despojará, se já houver dissipado sua parte, passando a dissipar também os bens paternos.

ADIMANTO:
— Com certeza.

SÓCRATES:
— Se os pais não os entregarem a ele, não haverá de tentar num primeiro momento de roubar seus pais com artifícios?

ADIMANTO:
— Sem dúvida.

SÓCRATES:
— Depois, porém, em caso de insucesso, não haverá de recorrer à rapina com violência?

ADIMANTO:
— Acho que sim.

SÓCRATES:
— Se, caro amigo, os velhos pais oferecerem resistência, o filho haverá de evitar de exercer sua tirania contra eles?

ADIMANTO:
— Não alimento grandes esperanças em favor dos pais desse.

SÓCRATES:
— Mas, por Zeus, Adimanto, se ele se apaixonar por uma cortesã estranha e recém-conhecida, como haverá de tratar a mãe, sua velha amiga e consanguínea? Ou por um jovem, estranho amigo de pouco, como haverá de tratar o velho e alquebrado pai, o mais antigo e íntimo de seus amigos? Um homem desses você acha que haveria de titubear em bater neles e a colocá-los em segundo plano ante seus novos amores, se os introduzisse em sua própria casa?

ADIMANTO:
— Não, por Zeus!

SÓCRATES:
— Parece realmente uma grande sorte ter gerado um filho tirano!

ADIMANTO:
— Nada invejável.

SÓCRATES:
— Quando, porém, os bens paternos e maternos estancarem e o enxame dos prazeres já se tiverem estabelecido nele, não haverá de tentar primeiramente arrombar as paredes de alguma casa ou roubar o manto de um viajante, surpreendendo-o durante a alta madrugada, e a seguir não haverá de saquear os templos? No meio de tudo isso, as antigas ideias sobre o bem e sobre o mal que ele seguia desde a infância, haverão de desaparecer diante daquelas apenas libertadas da escravidão pelos guardas pessoais de Eros e essas, junto desse, haverão de vencer. Quando ainda estava sob a autoridade do pai e era um democrata em seu íntimo, estas ideias só encontravam desafogo durante o sono. Mas pela tirania de Eros, haverá de tornar-se, desperto, o que era somente em sonho e não haverá de se abster de qualquer crime terrível, nem de qualquer delito ou de qualquer barbaridade. Eros, que passou a reinar de modo tirânico entre a anarquia e o desregramento de seu coração, uma vez dono do poder soberano, haverá de expor seu súdito a qualquer risco, como ocorre com um Estado, contanto que tirem vantagem ele próprio e seu séquito desordenado, os amigos vindos de fora com as más companhias e aqueles de dentro, soltos e desenfreados, todos com os mesmos hábitos. Não haverá de ser essa, acaso, a vida que vai levar?

ADIMANTO:
— Essa mesma.

SÓCRATES:
— Se num Estado, pessoas desse tipo são poucas e a maioria da população se conserva prudente, essas partem para assumir a função de guardas pessoais de um tirano ou mercenários onde houver guerra. Mas se a paz e a tranquilidade reinarem em toda parte, permanecerão no próprio Estado, cometendo grande quantidade de pequenos delitos.

ADIMANTO:
— Quais?

SÓCRATES:
— Por exemplo, roubam, arrombam casas, furtam bolsas, furtam os que andam pela cidade, enganam os templos, vendem como escravos outros cidadãos. Além do mais, são hábeis oradores, por vezes se portam como sicofantas, dão falso testemunho e se deixam corromper.

ADIMANTO:
— São realmente pequenos os delitos de que você fala! Além do mais, poucos também!

SÓCRATES:
— Sim, são pequenos somente em relação aos grandes. Todos esses não atingem, como diz o provérbio, sequer o tornozelo, se comparados à maldade e à opressão de um tirano. De fato, quando cidadãos desse tipo e seus partidários forem numerosos num Estado e se derem conta de sua própria força, então, com a ajuda da insensatez do povo, escolhem um tirano, aquele que entre eles se demonstre o tirano maior e mais forte.

ADIMANTO:
— E têm razão, visto que esse pode se tornar o tirano mais absoluto.

SÓCRATES:
— Pode ocorrer, portanto, que o poder lhe seja entregue espontaneamente. Se, no entanto, o Estado resistir, como anteriormente tinha coragem de punir os próprios pais, assim agora haverá de fazer com a pátria, punindo-a, se dispuser dos meios, e introduzindo novos companheiros, aos quais haverá de sujeitar a "mátria", como dizem os cretenses, que um tempo lhe era cara, e a pátria e assim haverá de manter esses companheiros. E esta pode representar a realização dos desejos de um homem desses.

ADIMANTO:
— Exatamente esta.

SÓCRATES:
— Antes, porém, de tomarem o governo, quando ainda eram cidadãos privados, não se comportavam como passo a descrever? Em primeiro lugar, sempre prontos a agradar em tudo às pessoas com que vivem, precisamente como os bajuladores, e, se precisam de alguma coisa, fazem mesuras e parecem realmente amigos íntimos. Alcançado, porém, seu objetivo, se tornam estranhos.

ADIMANTO:
— Com certeza.

SÓCRATES:
— Assim vivem toda a vida, sem que realmente sejam amigos de ninguém, como patrões ou escravos de outro. Isso porque a índole do tirano não conhece liberdade e amizade.

ADIMANTO:
— Exatamente.

SÓCRATES:
— E não haveríamos de definir, com razão, de pérfidas essas pessoas?

ADIMANTO:
— Claro.

SÓCRATES:
— E extremamente injustas, se tivermos definido anteriormente de modo correto a justiça.

ADIMANTO:
— Acho que a definimos corretamente.

SÓCRATES:
— Concluindo, o homem pior é talvez aquele que, desperto, age como se estivesse sonhando, pelo menos segundo nossa descrição.

ADIMANTO:
— É verdade.

SÓCRATES:
— E assim se torna aquele que detém o poder absoluto e um caráter acentuadamente tirano, e tanto pior se tornará quanto mais tempo vive no exercício da tirania.

Glauco tomou a palavra e disse:

— É inevitável.

★★★

SÓCRATES:
— Por isso, o homem mais perverso não deverá ser também o mais infeliz? E aquele que tiver exercido a tirania por mais tempo e do modo mais completo não se terá tornado efetivamente infeliz de modo mais completo e por mais tempo? Apesar de tudo, o povo não pensa assim.

GLAUCO:
— Não pode ser de outra maneira.

SÓCRATES:
— Uma coisa seria, portanto, o homem tirano comparado com o Estado tirano e outra, o homem democrático comparado com o Estado democrático? E isto valeria também para outros tipos de homem?

GLAUCO:
— Certamente.

SÓCRATES:
— Em decorrência, também entre um homem e outro, com relação à virtude e à felicidade, existe a mesma diferença que subsiste entre um Estado e outro?

GLAUCO:
— Sem dúvida.

SÓCRATES:
— E qual seria a diferença com relação à virtude entre um Estado tirano e um Estado monárquico, como o descrevemos acima?

GLAUCO:
— São de todo contrários. Um é ótimo e o outro é péssimo.

SÓCRATES:
— Não vou pedir que se explique melhor porque sua opinião é de todo clara. Com relação, porém, à prosperidade e à miséria, você tem a mesma opinião? Não vamos nos iludir, contudo, ao observar o tirano, que é um só, nem aos poucos de seu séquito. Antes de emitir nossa opinião, vamos entrar no Estado e vamos examiná-lo por toda a parte.

GLAUCO:
— Sua colocação é correta, mas é evidente para qualquer um que não existe Estado mais miserável que o tirânico, nem um mais próspero que o monárquico.

SÓCRATES:
— Talvez convenha tomar esta precaução também em relação aos cidadãos em particular, solicitando que emita um juízo sobre eles quem estiver em condições de penetrar com o pensamento no caráter de um homem e não se deixe iludir, como uma criança, pelas aparências externas, pela pompa que os tiranos mostram aos estranhos, mas que observe atentamente. E se, portanto, eu achasse que todos nós devêssemos escutar quem estiver em condições de avaliar bem, que tivesse vivido na mesma casa com ele, que tivesse assistido à sua vida doméstica nas relações com cada um de seus familiares, nas ocasiões em que se pudesse observá-lo totalmente despido de pompa solene e depois em sua vida pública, após ter visto tudo isso o exortássemos a nos referir se o tirano é feliz ou infeliz em suas relações humanas?

GLAUCO:
— Esse pedido seu também seria muito correto.

SÓCRATES:
— Se você quiser, portanto, vamos fingir que também nós estamos em condições de julgar e vamos imaginar que temos relações com um tirano. Assim, haveríamos de ter alguém que respondesse a nossas perguntas.

GLAUCO:
— Muito bem.

***

SÓCRATES:
— Vamos lá! Você deve proceder assim. Lembre-se da analogia entre o Estado e o indivíduo, analisa cada um deles e fale da condição de um e de outro.

GLAUCO:
— Em que sentido?

SÓCRATES:
— Antes de mais nada, para começar a falar do Estado, você acha que o Estado sujeito a um tirano seja livre ou escravo?

GLAUCO:
— Totalmente escravo.

SÓCRATES:
— Entretanto, você pode ver nele escravos e homens livres.

GLAUCO:
— Poucos desses. Os mais respeitados, por assim dizer, estão reduzidos à escravidão mais indecorosa e deprimente.

SÓCRATES:
— Se, no entanto, o indivíduo é semelhante ao Estado, não é inevitável que também nele subsista a mesma situação e que sua alma esteja sujeita a grande escravidão e opressão justamente em suas partes mais nobres, enquanto pequena parte, a mais malvada e louca, predomina?

GLAUCO:
— É inevitável.

SÓCRATES:
— Uma alma desse tipo, você a classifica como escrava ou livre?

GLAUCO:
— Como escrava.

SÓCRATES:
— Logo, um Estado sujeito a um tirano não faz, de jeito nenhum, o que quer?

GLAUCO:
— Certamente que não.

SÓCRATES:
— Então, uma alma dominada pela tirania em seu conjunto não haverá de fazer, de modo algum, o que quer, mas estará sempre nas garras da agitação e sempre vítima da desordem e do remorso.

GLAUCO:
— Sem dúvida.

SÓCRATES:
— Mas um Estado tirano será rico ou pobre?

GLAUCO:
— Pobre.

SÓCRATES:
— Então, é inevitável que uma alma dominada pela tirania seja sempre pobre e faminta.

GLAUCO:
— Sim.

SÓCRATES:
— E não é igualmente inevitável que um Estado desses e um indivíduo desses estejam sempre dominados pelo medo?

GLAUCO:
— Por certo.

SÓCRATES:
— Haveria acaso outro em que você acha que poderia encontrar mais soluços, gemidos, lamentos e dor?

GLAUCO:
— Não, em nenhum outro.

SÓCRATES:
— E você acha de poder encontrar em qualquer outro homem um número maior dessas aflições do que nesse homem tirano, dominado pelas paixões e pelo amor?

GLAUCO:
— Como seria isso possível?

SÓCRATES:
— Olhando para todos esses males e outros defeitos do mesmo tipo, acho que você acaba de considerar este Estado como o mais infeliz de todos.

GLAUCO:
— E não teria razão?

SÓCRATES:
— Certamente. Mas com base nessas mesmas considerações, o que você diria do homem tirano?

GLAUCO:
— Afirmo que, de longe, é o mais infeliz dos homens.

SÓCRATES:
— Aqui, no entanto, você está errado.

GLAUCO:
— Mas como?

SÓCRATES:
— Eu não acho que ainda o seja realmente.

GLAUCO:
— Quem seria então?

SÓCRATES:
— Talvez outro lhe haverá de parecer ainda mais infeliz que este.

GLAUCO:
— Quem seria?

SÓCRATES:
— Qualquer um que, embora de natureza tirânica, não vive como cidadão privado, mas tem a infelicidade de se tornar ele próprio, não saberia por que fatalidade, um tirano.

GLAUCO:
— Pelo que já dissemos, parece que você tem razão mesmo.

SÓCRATES:
— Sim, embora não se deva confiar muito em conjecturas, mas proceder com rigor, porque nossa busca se refere ao problema mais importante, isto é, a vida boa e aquela má.

GLAUCO:
— Perfeitamente correto.

SÓCRATES:
— Observe bem, pois, se meu raciocínio é seguro. A mim parece que a condição do tirano deva ser estudada da maneira seguinte.

GLAUCO:
— Isto é?

SÓCRATES:
— Confrontando-a com a situação daqueles cidadãos privados que no Estado possuem muitas riquezas e muitos escravos. Eles têm em comum com o tirano o exercício de ampla autoridade. A diferença é somente quantitativa.

GLAUCO:
— É verdade.

SÓCRATES:
— Você sabe que eles vivem tranquilos e não temem seus escravos.

GLAUCO:
— Por que haveriam de temê-los?

SÓCRATES:
— Claro, mas você sabe qual a razão?

GLAUCO:
— Sim. O Estado inteiro socorre todo cidadão privado.

SÓCRATES:
— Muito bem. Se um deus, porém, tomasse um dono de cinquenta ou mais escravos e, com a mulher e os filhos, o transportasse com o restante de seus bens e com seus escravos para um deserto, onde nenhum homem livre

pudesse vir em seu socorro, qual e que tamanho medo você acha que poderia ter por sua própria causa e pela de sua mulher e filhos? Não teria medo de ser massacrado com eles por seus escravos?

GLAUCO:
— Um medo louco!

SÓCRATES:
— Em razão disso, não se veria obrigado a bajular alguns de seus próprios escravos, a libertá-los sem qualquer motivo, e não se haveria de tornar ele próprio um adulador de seus escravos?

GLAUCO:
— Sim. Teria de agir exatamente assim para não ser morto.

SÓCRATES:
— Se esse deus, porém, o rodeasse de muitos vizinhos dispostos a não tolerar a autoridade de outro e se esses punissem com a morte a quem fosse surpreendido mandando?

GLAUCO:
— Acho que esse seria ainda mais infeliz, uma vez controlado e rodeado por todos os seus inimigos.

SÓCRATES:
— E não se encontra em semelhante prisão o tirano, se por natureza está, como descrevemos, cheio de múltiplos e diversos medos e paixões? Embora espiritualmente ávido, sozinho entre os cidadãos, ele não pode viajar para lugar algum, nem ver o que todos os homens livres têm a curiosidade de ver. Encerrado na própria casa, vive geralmente como uma mulher, invejando aqueles cidadãos que viajam para qualquer lugar e podem contemplar todas as belezas.

GLAUCO:
— É verdade.

***

SÓCRATES:
— Mais numerosas, portanto, são as desgraças que atingem o homem escravizado a suas paixões, o homem tirano que você considerou o mais infeliz de todos, quando deixa de ser cidadão privado e é obrigado pelo destino a tornar-se tirano, tentando governar os outros sem ser capaz de manter o domínio sobre si mesmo. Pode ser comparado a um homem fisicamente doente e incapaz que, em vez de viver segregado, se inscrevesse em competições e fosse obrigado a passar a vida lutando.

GLAUCO:
— A comparação é mais que correta.

SÓCRATES:
— Logo, caro Glauco, não é total a infelicidade do tirano e sua vida não é ainda mais dura do que aquela de quem, como você falava, vive da maneira mais dura?

GLAUCO:
— É verdade.

SÓCRATES:
— Na realidade, mesmo que alguém não acredite nisso, o verdadeiro tirano é um verdadeiro escravo por sua extrema servidão e baixeza, é um adulador dos piores e, evidentemente, não pode satisfazer de modo algum seus desejos. Melhor, falta-lhe quase tudo e, aos olhos de quem sabe perscrutar o fundo de sua alma, demonstra-se realmente pobre, cheio de medo, de convulsões e de dor por toda a vida, se verdade é que sua condição se assemelha à do Estado por ele governado. É assim ou não?

GLAUCO:
— É assim.

SÓCRATES:
— Além disso, não deveríamos atribuir-lhe aqueles males de que falamos antes, mas que inevitavelmente nele se encontram e mais ainda se desenvolvem com o exercício do poder, tais como a inveja, a deslealdade, a injustiça, a falta de amigos, a impiedade, os vícios de todo tipo que ele hospeda e nutre e, como consequência de tudo isso, é o mais infeliz dos homens, aumentando ainda sua má sorte ao tornar infelizes também seus íntimos?

GLAUCO:
— Nenhum homem sensato o poderia negar.

SÓCRATES:
— Pois bem! Como o juiz supremo pronuncia sua sentença, assim também você deverá tentar estabelecer uma escala de felicidade entre esses cinco indivíduos: o homem monárquico, o timocrático, o oligárquico, o democrático e o tirânico.

GLAUCO:
— O julgamento é fácil. Eu os disponho na ordem em que se apresentaram, como se faz com os corais, com relação à virtude, ao vício, à felicidade e a seu oposto.

SÓCRATES:
— Deveríamos convocar um arauto ou eu mesmo poderia anunciar que o filho de Ariston sentenciou que o homem melhor, mais justo e mais feliz é o real porque reina sobre si mesmo, enquanto que o pior, o mais injusto e o mais infeliz é o tirano em confronto consigo mesmo e com o Estado?

GLAUCO:
— Pode anunciá-lo.

SÓCRATES:
— E deveria acrescentar também que pouco importa se esses assim parecem ou não aos olhos de todos os homens e dos deuses?

GLAUCO:
— Pode acrescentar isso também.

***

SÓCRATES:
— Muito bem. Essa pode ser considerada nossa primeira demonstração. Veja agora se lhe parece lógica a segunda.

GLAUCO:
— Qual seria?

SÓCRATES:
— Uma vez que o Estado foi dividido em três partes que correspondem às três partes da alma, a meu ver, se poderia aceitar também outra demonstração.

GLAUCO:
— Qual?

SÓCRATES:
— Como são três suas partes, parece que sejam três também os prazeres, cada um específico de cada uma das partes. Isso vale também para os desejos e as ordens.

GLAUCO:
— O que você quer dizer?

SÓCRATES:
— A primeira parte é aquela com a qual o homem aprende. A segunda, aquela pela qual prova emoções. Para a terceira, em vista da multiplicidade de suas formas, é impossível conferir-lhe um nome único e específico, mas, com aquele que é o mais importante e eficaz, a chamamos de parte concupiscível, por causa da violência dos desejos que se relacionam com o comer, o beber, o amor e outros a eles correlatos. E a consideramos também ávida, porque esses desejos, no mais das vezes, se realizam graças ao dinheiro.

GLAUCO:
— Nisto procedemos corretamente.

SÓCRATES:
— Se, portanto, dissemos que seu prazer e seu amor é o lucro, não haveríamos de fixar da melhor maneira nosso conceito, de modo que nos haveria de clarear um pouco as ideias, ao falarmos dessa parte da alma, e não poderíamos considerá-la corretamente ávida e cobiçosa?

GLAUCO:
— Parece-me que sim.

SÓCRATES:
— Não haveríamos de dizer que a parte emotiva aspira sempre à vitória e ao prestígio?

GLAUCO:
— Certamente.

SÓCRATES:
— Seria, pois, oportuno chamá-la de amiga da vitória e da honra?

GLAUCO:
— Totalmente oportuno, sem dúvida.

SÓCRATES:
— Em vez disso, está claro para todos que a parte com a qual aprendemos tende incessantemente a procurar a verdade e, entre as três, é a que menos se preocupa com dinheiro e glória.

GLAUCO:
— Sim.

SÓCRATES:
— Poderíamos então chamá-la acertadamente de amiga do estudo e da sabedoria?

GLAUCO:
— Por que não?

SÓCRATES:
— E o espírito de alguns, não é dominado por esta parte, o espírito de outros pela segunda e o de outros ainda, pela terceira?

GLAUCO:
— Precisamente.

SÓCRATES:
— Poderíamos afirmar, então, que os homens pertencem a três categorias fundamentais: os amantes da sabedoria, os amantes do sucesso e os amantes do lucro?

GLAUCO:
— Sem dúvida.

SÓCRATES:
— Poderíamos acrescentar que existem três categorias de prazeres que correspondem a esses três caracteres?

GLAUCO:
— Claro.

SÓCRATES:
— Você se dá conta de que, se quisesse perguntar a cada um desses três homens qual dos três modos de vida seria preferível, cada um diria que é o seu? O negociante não haveria de dizer que, comparando com o lucro, o prazer advindo da honra e do estudo não vale nada, uma vez que não dá dinheiro?

GLAUCO:
— É verdade.

SÓCRATES:
— E o ambicioso? Por acaso, não avalia como vulgar o prazer que se tem com o dinheiro, fumaça e besteira aquele que se tem com o estudo, se este não conferir honras?

GLAUCO:
— Sim.

SÓCRATES:
— Quanto a nós, o que haveriam de representar para o filósofo os outros prazeres, se comparados com o conhecimento e o aprofundamento incessante da verdade? Não os haveria de considerar muito distantes do verdadeiro prazer? E não os chama de necessários, no sentido próprio da palavra, porque os haveria de evitar sem falta, se não fossem para ele inevitáveis?

GLAUCO:
— Sim, é exatamente assim.

***

SÓCRATES:
— Como poderíamos então saber qual deles diz a verdade, ao discutir os prazeres e o modo de viver de cada categoria não para viver melhor ou pior, com maior ou menor honestidade, mas somente para falar do modo mais prazeroso e inócuo?

GLAUCO:
— Eu, com certeza, me sinto incapaz de me pronunciar a respeito.

SÓCRATES:
— Entretanto, considere isto. Com que meio se pode avaliar um fato pelo modo mais adequado? Existe um critério melhor que a experiência, a inteligência e a razão?

GLAUCO:
— Como poderia existir?

SÓCRATES:
— Pense bem! Dentre os três tipos de indivíduos, qual seria o mais experiente em todos os prazeres que mencionamos? O homem ambicioso, se por acaso se puser a aprender a essência da verdade, teria mais experiência do prazer que se tira do conhecimento do que o filósofo poderia ser mais experiente daquele que se tem pelo lucro?

GLAUCO:
— Bem ao contrário! Porque um, o filósofo, deve inevitavelmente provar desde a infância os outros prazeres, ao passo que o homem ambicioso, quando se dedica a aprender como seriam as essências, não tem certeza alguma de sentir e experimentar a suavidade deste prazer. Pelo contrário, apesar de todo o seu esforço, debalde conseguiria senti-lo.

SÓCRATES:
— Logo, o filósofo conhece ambos os prazeres muito melhor que o homem ambicioso.

GLAUCO:
— Sem dúvida.

SÓCRATES:
— E comparando-o com o ambicioso? Acaso o filósofo conhece o prazer que se tem com a honra muito menos do que esse possa conhecer o prazer que se tem com a reflexão?

GLAUCO:
— Se cada um dos dois atinge seu próprio objetivo, a honra cabe a ambos. De fato, muitos honram tanto os ricos, como os corajosos, os sábios, de modo que todos eles conhecem o prazer que se tem com a honra, dentro dos limites do possível. Em vez disso, ninguém, a não ser o filósofo, pode sentir o prazer que se tem pela contemplação do ser.

SÓCRATES:
— Logo, segundo a experiência, esse é o homem mais apto para emitir um juízo entre os três.

GLAUCO:
— Sem dúvida.

SÓCRATES:
— E será o único em que a experiência se alia à reflexão.

GLAUCO:
— Sim.

SÓCRATES:
— E também a faculdade que consente de emitir um juízo não pertence de per si ao homem ávido, nem ao ambicioso, mas somente ao filósofo.

GLAUCO:
— Qual seria essa faculdade?

SÓCRATES:
— Não foi dito que para julgar é preciso a razão?

GLAUCO:
— É verdade.

SÓCRATES:
— O instrumento essencial do filósofo é exatamente esse.

GLAUCO:
— E como não!?

SÓCRATES:
— Em lugar disso, se se julgasse de modo melhor com a riqueza e com o lucro, deveriam ser de todo corretos a aprovação e o menosprezo do homem ganancioso.

GLAUCO:
— Por certo.

SÓCRATES:
— Se se devesse julgar com base à honra, ao sucesso e ao valor, não estaria no lugar certo o homem ambicioso e amante do sucesso?

GLAUCO:
— Claro.

SÓCRATES:
— Mas como se deve julgar com a experiência, a inteligência e a razão...

GLAUCO:
— É inevitável que seja verdadeiro sobretudo o que é aprovado pelo filósofo e pelo filólogo.

SÓCRATES:
— Portanto, mesmo que sejam três os prazeres, o mais suave talvez seja aquele que se refere à parte da alma com que aprendemos e mais suave a existência daquele que é governado por esta parte?

GLAUCO:
— Não pode ser de outra forma. O homem inteligente aprova a própria existência como juiz que tem autoridade.

SÓCRATES:
— Que gênero de vida e que prazer colocaria em segundo lugar este juiz?

GLAUCO:
— Evidentemente aqueles do homem batalhador e ambicioso, mais próximos ao seu do que aqueles do homem de negócios.

SÓCRATES:
— Então, o prazer do homem ávido ou ganancioso vem em último lugar, pelo que parece.

GLAUCO:
— Sem dúvida alguma.

***

SÓCRATES:
— São já, portanto, duas demonstrações sucessivas e por duas vezes o justo derrotou o injusto. E pela terceira, vamos invocar, como ocorre em Olímpia, Zeus salvador e Olimpo. Considere agora que o prazer dos outros, excetuando-se aquele do intelectual, não é verdadeiro nem puro, mas se assemelha a uma sombra. Assim, pelo menos, me parece que o tenha definido um sábio. E exatamente essa poderia ser a última e a pior queda do homem injusto.

GLAUCO:
— Sem dúvida. Mas o que quer dizer?

SÓCRATES:
— Vou conseguir demonstrá-lo, mas somente com tua ajuda, se você aceitar responder às minhas perguntas.

GLAUCO:
— Pergunte, pois.

SÓCRATES:
— Então, me diga. Não consideramos a dor como o sentimento contrário ao prazer?

GLAUCO:
— Sim.

SÓCRATES:
— Mas não existe também uma situação em que não se sente nem prazer nem dor?

GLAUCO:
— Sim, existe.

SÓCRATES:
— E entre dois sentimentos se prova uma certa paz de alma? Não se poderia defini-la assim?

GLAUCO:
— É verdade.

SÓCRATES:
— Você lembra o que dizem os doentes enquanto sofrem?

GLAUCO:
— O quê?

SÓCRATES:
— Que nada é mais prazeroso que a saúde, mas que antes de ficarem doentes não se haviam dado conta?

GLAUCO:
— Sim, lembro.

SÓCRATES:
— E você não ouve dizer, por quem sofre uma grande dor, que nada há de melhor do que não sofrer mais?

GLAUCO:
— Sim, certamente.

SÓCRATES:
— Eu acho que você sabe que os homens enfrentam muitas outras situações análogas. E, então, quando sofrem, exaltam como condição melhor não o fato de ter prazer, mas sim o fato de não sentir dor e ficarem tranquilos.

GLAUCO:
— Porque, nesse caso, talvez a tranquilidade represente uma coisa prazerosa e desejável.

SÓCRATES:
— Mas quando se termina de desfrutar um prazer, o repouso sucessivo traz uma sensação incômoda.

GLAUCO:
— Talvez sim.

SÓCRATES:
— E aquele estado intermediário de que acabamos de afirmar sua existência, isto é, a tranquilidade, poderá ser ora dor, ora prazer.

GLAUCO:
— Parece que sim.

SÓCRATES:
— Mas pode tornar-se um ou outra juntos, o que não é nenhum dos dois?

GLAUCO:
— Acho que não.

SÓCRATES:
— Apesar de tudo, o prazer e a dor, quando surgem na alma, são ambos um movimento, ou não?

GLAUCO:
— Sim.

SÓCRATES:
— Mas não acabamos de reconhecer que esse estado intermediário, que não é prazer nem dor, é a tranquilidade?

GLAUCO:
— Sim, reconhecemos.

SÓCRATES:
— Como, pois, se pode afirmar corretamente que seja prazeroso não sentir dor ou que seja doloroso não ter prazer?

GLAUCO:
— Não, não se pode.

SÓCRATES:
— Então, esse estado parece prazeroso em confronto com a dor e doloroso com relação ao prazer, mas, na realidade, não o é. Em todos esses fantasmas, não há nada de real com relação à verdade do prazer, mas somente ilusão.

GLAUCO:
— A isso, pelo menos, nos induz a pensar nosso discurso.

SÓCRATES:
— Considere agora os prazeres que não provêm da dor, para que você não venha a crer que neste caso a essência do prazer seja muitas vezes cessação da dor e vice-versa.

GLAUCO:
— Em que caso e de que prazeres você quer falar?

SÓCRATES:
— De muitos prazeres, mas sobretudo daqueles do olfato, se você quiser tomá-los em consideração. De fato, eles surgem de improviso com grande intensidade, sem serem precedidos de qualquer dor e cessam também sem deixar dor alguma.

GLAUCO:
— É a pura verdade.

SÓCRATES:
— Por isso, não devemos crer que o prazer puro seja isenção da dor e vice-versa.

GLAUCO:
— Certo que não.

SÓCRATES:
— Entretanto, as sensações que do corpo se propagam na alma e se chamam prazeres, talvez os mais numerosos e intensos, são todos desse tipo, isto é, cessação da dor.

GLAUCO:
— Sim, é verdade.

SÓCRATES:
— E não se dá o mesmo também com a alegria e a dor que a espera provoca antecipadamente?

GLAUCO:
— Sim.

***

SÓCRATES:
— Você sabe, pois, quais são e a que se assemelham sobretudo?

GLAUCO:
— A quê?

SÓCRATES:
— Você acha que na natureza exista o alto, o baixo e o centro?

GLAUCO:
— Por certo.

SÓCRATES:
— E quem se move do baixo para o centro, não imagina por acaso de estar subindo? Se parado no centro, olhar para o ponto de onde partiu, não acha que se encontra no alto, visto que jamais viu a verdadeira altura?

GLAUCO:
— Por Zeus, não acho que esse pudesse pensar outra coisa.

SÓCRATES:
— Mas se se movesse novamente para baixo, não teria razão em acreditar que estaria descendo?

GLAUCO:
— Como não!?

SÓCRATES:
— E não se encontraria nessa situação porque ignora o que seja realmente no alto, ao centro e embaixo?

GLAUCO:
— Evidente.

SÓCRATES:
— Como admirar, pois, que, ignorando a verdade, os homens formem ideias erradas sobre muitíssimas coisas, mas especialmente em relação ao prazer e à dor e ao estado intermediário entre esses estejam numa condição tal que, passando para a dor, têm razão em acreditar que sofrem, porque sofrem realmente e, passando da dor à condição intermediária, acreditam sinceramente que estão próximos da satisfação e do prazer? É como se eles, por ignorarem o branco, opusessem o cinza ao preto. Da mesma maneira se enganam pela inexperiência do prazer e opõem à dor a ausência da dor.

GLAUCO:
— Por Zeus, não me maravilho mesmo, antes teria de me surpreender o contrário.

SÓCRATES:
— Agora, preste atenção ao que vou dizer. A fome, a sede e qualquer outra exigência similar não representam lacunas para o bem-estar do corpo?

GLAUCO:
— Certamente.

SÓCRATES:
— Mas a ignorância e a estultícia não são lacunas para o bem-estar da alma?

GLAUCO:
— Sim.

SÓCRATES:
— E ficaria satisfeito que se desse a se alimentar quem conseguisse a inteligência?

GLAUCO:
— Claro que sim.

SÓCRATES:
— Mas a verdadeira forma de satisfação se refere ao menos ou ao mais?

GLAUCO:
— Ao mais, evidentemente.

SÓCRATES:
— Qual dos dois gêneros, a seu ver, está mais próximo da essência pura: o alimento, as bebidas, os condimentos e a nutrição em geral ou a opinião verdadeira, a ciência, a inteligência e, enfim, toda espécie de virtude? Para decidir, pense nisto: o que depende do ser eternamente igual e imortal e da verdade e é ele próprio tal e em tal condição se encontra, não lhe parece que seja alguma coisa a mais com relação ao que depende daquilo que nunca é igual a si mesmo e mortal e é ele próprio tal e em tal condição se encontra?

GLAUCO:
— Sim, aquilo que participa do ser imutável é muito superior.

SÓCRATES:
— Mas a essência daquilo que é sempre mutável participa da essência mais do quanto possa participar da ciência?

GLAUCO:
— De modo algum.

SÓCRATES:
— E da verdade?

GLAUCO:
— Nem dela.

SÓCRATES:
— E se participa menos da verdade, participa menos também da essência?

GLAUCO:
— Inevitavelmente.

SÓCRATES:
— Enfim, aquilo que se relaciona ao cuidado do corpo tem menor participação da verdade e da essência do que aquilo que se relaciona com o cuidado da alma?

GLAUCO:
— Sem dúvida.

SÓCRATES:
— E você não acha que a mesma relação valha entre o corpo e o espírito?

GLAUCO:
— Sim.

SÓCRATES:
— Mas aquilo que se nutre de maior realidade e é ele próprio mais real não goza de maior plenitude em relação ao que se nutre de menos realidade e é ele próprio menos real?

GLAUCO:
— Como não!?

SÓCRATES:
— Se, pois, nutrir-se das coisas adequadas à própria natureza é prazeroso, o que se nutre mais realmente e com coisas mais reais goza mais verdadeira e realmente do verdadeiro prazer, enquanto o que participa de coisas menos reais pode nutrir-se menos verdadeira e solidamente e participar de um prazer menos seguro e menos verdadeiro.

GLAUCO:
— É de todo inevitável que seja assim.

SÓCRATES:
— Assim, aquele que, ignorando a inteligência e a virtude, está sempre ocupado em banquetes e em prazeres similares, move-se para baixo, ao que parece, e depois volta ao centro e assim fica vagueando por toda a vida, sem nunca olhar nem se projetar para o alto, superando esse limite. Esses indivíduos também não se nutrem da verdadeira realidade nem provam um prazer sólido e puro, porque se comportam como os animais que olham sempre para baixo e, curvados para baixo e para a mesa, vão se alimentando e copulando. Mais ainda, impelidos por essa avidez insaciável, se batem e se empurram com chifres e cascos de ferro, acabando por se matarem, exatamente porque não nutrem daquilo que é real a verdadeira parte de si mesmos nem seu invólucro.

GLAUCO:
— Sócrates, você fala como se fosse um oráculo sobre a vida dos homens.

SÓCRATES:
— E não ficam sempre mísera e inevitavelmente entre prazeres impuros e dor, entre sombras que do verdadeiro prazer só têm os contornos, mas se mostram coloridas pela superposição de prazer e dor, de tal modo que ambos se revelam intensos e produzem seus amores incontroláveis e suas lutas insensatas como, segundo Stesícoro, em Troia se combateu pelo fantasma de Helena, ignorando a verdade?

GLAUCO:
— Não há como evitar algo de semelhante.

***

SÓCRATES:
— E o mesmo não ocorre inevitavelmente da mesma forma a propósito da parte emotiva da alma, quando é satisfeita com a inveja provocada pela ambição ou com a violência provocada pela ânsia de vitória ou com a ira devida a um mau caráter, quando se procura saciar-se de honras, de vitória e de ira sem bom senso e sem discernimento?

GLAUCO:
— Sim, é inevitável que o mesmo ocorra com relação a isso.

SÓCRATES:
— E então? Não poderíamos afirmar com certeza que também os desejos de lucro e de ambição, se seguirem a ciência e a razão e com elas forem em busca dos prazeres que lhes são indicados pelo intelecto, haveriam de colher os prazeres mais autênticos que lhes fosse possível ter, exatamente porque seguem a verdade e os prazeres que lhes são próprios, se é verdade que para cada um é próprio o que é melhor?

GLAUCO:
— Sim, realmente é assim.

SÓCRATES:
— Portanto, quando a alma em sua totalidade segue sem dissensão o filósofo, a cada uma de suas partes cabe agir no próprio interesse e nos limites da justiça e cada uma aufere, quanto possível, dos melhores prazeres que lhe são próprios e que são também os mais verdadeiros.

GLAUCO:
— Sem dúvida.

SÓCRATES:
— Em vez disso, quando comanda uma das duas outras partes, acontece que ela não consegue o próprio prazer e obriga às outras a procurar um inapropriado e falso.

GLAUCO:
— Com certeza.

SÓCRATES:
— E tanto mais se haveria de chegar a esse resultado, quanto mais nos afastássemos da filosofia e da razão?

GLAUCO:
— Certamente.

SÓCRATES:
— E não se afasta ao máximo da razão o que se afasta da lei e da ordem?

GLAUCO:
— Evidente.

SÓCRATES:
— E não se revelaram como os mais distantes os desejos amorosos e tirânicos?

GLAUCO:
— Sem qualquer sombra de dúvida.

SÓCRATES:
— Pelo contrário, como os menos distantes aqueles monárquicos e equilibrados?

GLAUCO:
— Sim.

SÓCRATES:
— Logo, acho que o tirano será o homem mais distante de seu verdadeiro prazer e o outro, o menos distante.

GLAUCO:
— Inevitavelmente.

SÓCRATES:
— Por isso, o tirano haverá de viver da maneira mais desagradável e o rei da maneira mais prazerosa.

GLAUCO:
— Sem dúvida.

SÓCRATES:
— Você saberia também o quanto mais desagradavelmente que o rei deva viver o tirano?

GLAUCO:
— Pode dizê-lo você mesmo.

SÓCRATES:
— Se, pelo que parece, os prazeres são três, mas um só é legítimo e os outros dois são bastardos, o tirano, depois de ter ultrapassado o limite dos prazeres bastardos e ter fugido para longe da lei da razão, convive com prazeres

vis que lhe servem de corpo de guarda; talvez só assim se possa explicar sua inferioridade.

GLAUCO:
— Como?

SÓCRATES:
— O tirano vem em terceiro lugar, depois do homem oligárquico, porque entre eles se encontra o homem democrático.

GLAUCO:
— É verdade.

SÓCRATES:
— Portanto, se antes tínhamos razão no que dissemos, esse convive com um fantasma de prazer que se encontra três vezes mais distante em relação ao primeiro?

GLAUCO:
— Assim mesmo.

SÓCRATES:
— Mas o homem oligárquico vem em terceiro lugar em relação ao homem monárquico, se considerarmos o homem aristocrático e o homem monárquico como a mesma pessoa.

GLAUCO:
— Sim, está no terceiro lugar.

SÓCRATES:
— Assim, o tirano está nove vezes distante do verdadeiro prazer.

GLAUCO:
— Claro.

SÓCRATES:
— Por isso, ao que parece, o fantasma do prazer do tirano pode ser expresso linearmente por um número plano.

GLAUCO:
— Por certo.

SÓCRATES:
— E a distância que o separa do prazer do homem monárquico é expressa elevando esse número ao quadrado e depois ao cubo.

GLAUCO:
— Para um matemático, isto é evidente.

SÓCRATES:
— Se, pelo contrário, pudesse expressar-se numericamente o quanto o rei esteja distante do tirano em relação ao verdadeiro prazer, se terá como resultado, fazendo a multiplicação, que ele vive 729 vezes melhor que o tirano e, de modo inverso, que o tirano é 729 vezes mais infeliz que o rei.

GLAUCO:
— Que número incrível para medir a distância entre os dois, isto é, entre o homem justo e o homem injusto, com relação ao prazer e à dor!

SÓCRATES:
— Entretanto, é verdadeiro e apropriado ao modo de viver deles, se a esses correspondem os dias e as noites, os meses e os anos.

GLAUCO:
— Sim, devem corresponder.

SÓCRATES:
— Se, portanto, o homem honesto e justo supera em tanto o homem mau e injusto em relação ao prazer, qual não haverá de ser sua prodigiosa superioridade em relação à decência de vida, à beleza e à virtude?

GLAUCO:
— Será realmente prodigiosa, por Zeus!

***

SÓCRATES:
— Muito bem. Agora que chegamos a este ponto do discurso, vamos resumir as etapas que nos conduziram até aqui. Dizíamos que ao homem perfeitamente injusto convém ser assim, contanto que tenha a reputação de ser justo. Não dissemos isso, talvez?

GLAUCO:
— Exatamente.

SÓCRATES:
— Agora que chegamos a um acordo sobre os efeitos de um comportamento honesto e de um comportamento desonesto, vamos falar com quem assim se expressou.

GLAUCO:
— Como vamos fazer isso?

SÓCRATES:
— Vamos modelar com a fantasia um simulacro da alma para que esse se dê conta do que andou dizendo.

GLAUCO:
— Que simulacro?

SÓCRATES:
— Um semelhante aos monstros das antigas fábulas, tais como Quimera, Cila, Cerbero e tantos outros que reuniam, pelo que se diz, muitas formas num único corpo.

GLAUCO:
— Sim, é isso mesmo que se diz.

SÓCRATES:
— Tente, pois, modelar um monstro de muitas formas e muitas cabeças de animais domésticos e selvagens, capaz de mudar de aspecto e de gerar por si mesmo todas essas formas.

GLAUCO:
— Seria preciso um artista fenomenal para fazê-lo! De qualquer modo, visto que a palavra é mais maleável que a cera e de qualquer outra matéria desse tipo, já o moldei!

SÓCRATES:
— Agora, molda a forma de um leão e depois de um homem. A primeira, porém, dever ser muito maior dessas duas e, depois, molde outra.

GLAUCO:
— Isto é mais fácil. Aqui está, já modelei todas.

SÓCRATES:
— Agora, junte as três e una-as muito bem.

GLAUCO:
— Está feito.

SÓCRATES:
— Envolva-as agora externamente com uma única forma, a humana. Assim, deverão parecer um único ser, um homem por certo, para quem não possa olhar para seu interior e veja somente o invólucro externo.

GLAUCO:
— Já as recobri.

SÓCRATES:
— Vamos responder, portanto, ao que afirma que a esse homem convém comportar-se de modo injusto e de nada lhe serve praticar a justiça, que isto equivale a sustentar que lhe convém alimentar esse monstro multiforme e fortalecê-lo juntamente com o leão e o resto, enquanto se reduz à fome o homem, tornando-o tão fraco que deva ser arrastado pelos outros dois para onde queiram e, ao contrário de acostumá-los a conviver e a se tornarem amigos, deixar que combatam entre si, que se estraçalhem e se devorem.

GLAUCO:
— Sim, elogiar um comportamento injusto seria exatamente isto.

SÓCRATES:
— Aquele que dissesse que a justiça é conveniente, haveria de confirmar a necessidade de agir e de falar de modo que o homem interior pudesse dominar o mais possível o homem inteiro e vigiar o monstro de muitas cabeças, como faz um camponês que cultiva com cuidado as plantas domésticas mas impede o crescimento das ervas daninhas, obtendo a aliança da natureza do leão e cuidando de todas as naturezas juntas, tornando-as amigas entre si e amigas dele. Não é assim que as haverá de criar?

GLAUCO:
— Sim, quem elogia a justiça afirma exatamente isto.

SÓCRATES:
— Assim sendo, sob qualquer aspecto, aquele que exalta a justiça está na verdade e aquele que exalta a injustiça está no falso. Tomando em consideração o prazer, a honra e a utilidade, aquele que elogia a justiça tem razão, enquanto que aquele que a censura nada diz que preste e sequer conhece aquele que censura.

GLAUCO:
— Pelo menos para mim, parece que não o conheça mesmo.

SÓCRATES:
— Vamos tentar convencê-lo com brandura, porquanto seu erro é involuntário, e vamos lhe perguntar: "Caro amigo, a distinção legal entre o que é belo e o que é feio não foi feita por razões análogas? O que é belo não submete ao homem, ou melhor, à sua parte divina, o que há de animalesco nele, enquanto o que é feio não submete a natureza doméstica à natureza selvagem?" Nosso interlocutor vai estar de acordo com isto ou não?

GLAUCO:
— Se me der razão, sim.

SÓCRATES:
— Com base neste raciocínio, haveria de existir, pois, alguém a quem lhe fosse útil tomar ouro de modo injusto para si, se deveras ocorrer algo semelhante, ou seja, se, ao tomar o ouro, escravizar a parte melhor dele à parte pior? Entretanto se, para tomar o ouro, devesse entregar como escravos de patrões selvagens e malvados o filho e a filha, não haveria de lhe convir nem se tomasse

uma grande quantidade dele. Se escravizasse sua natureza mais divina àquela mais ímpia e desnaturada sem sentir piedade, não seria talvez um miserável e não se deixaria corromper pelo ouro de maneira bem mais funesta que Erifila que aceitou o colar em troca da vida de seu marido?

GLAUCO:
— Sim, respondendo por ele, seria muito pior.

***

SÓCRATES:
— E você não acha que também a intemperança foi desaprovada há tanto tempo exatamente porque deixa mais livre que a devida a natureza perigosa, aquele grande e multiforme monstro?

GLAUCO:
— Evidente.

SÓCRATES:
— E não são desaprovados a arrogância e o mau humor, quando os instintos do leão e da serpente se desenvolvem e se propagam sem harmonia?

GLAUCO:
— É verdade.

SÓCRATES:
— Não são desaprovados também o luxo e a indolência porque deixam em liberdade esse mesmo monstro, fazendo com que cresça nele a covardia?

GLAUCO:
— Com certeza.

SÓCRATES:
— Não são desaprovadas a adulação e a mesquinhez, quando submetem a natureza irascível a esse monstro vulgar e, por ganância de dinheiro, acostumam os jovens a se humilharem e a se tornarem macacos em vez de leões?

GLAUCO:
— Sem dúvida.

SÓCRATES:
— Por qual razão você acha que seja ignominiosa a condição dos artesãos e dos operários, senão porque sua parte melhor é por natureza tão fraca que não pode dominar os animais que neles subsistem, ao contrário, os afaga e só consegue aprender a abrandá-los?

GLAUCO:
— Parece que é assim.

SÓCRATES:
— E um homem desse tipo, para ser governado pelo mesmo princípio que governa o homem melhor, deve ser, a nosso ver, escravo daquele homem ótimo que tem em si o princípio divino. Achamos, porém, que não deva ser governado em seu detrimento, como pensava Trasímaco em relação aos súditos, mas somente porque é melhor para qualquer um ser dominado por quem é divino e inteligente. Certamente seria melhor ainda se este princípio o possuísse em si mesmo. Caso contrário, é preciso impô-lo do exterior, para que sejamos quanto possível todos iguais e amigos, guiados pelo mesmo princípio.

GLAUCO:
— Perfeitamente correto.

SÓCRATES:
— Também a lei revela uma intenção análoga porque oferece sua ajuda a todos os cidadãos. Esse é também o objetivo da autoridade sobre as crianças. Não lhes permitimos que disponham de si mesmas antes que lhes tenhamos estabelecido na alma, como num Estado, uma ordem. Mas depois de ter desenvolvido sua parte melhor com o que de melhor há em nós mesmos e depois de haver substituído nossa participação com um guardião e um guia semelhante nelas, finalmente deixamos livres as crianças.

GLAUCO:
— Está claro.

SÓCRATES:
— Por isso, Glauco, como é possível sustentar que seja conveniente seguir a injustiça ou a intemperança ou ainda o delito, se tudo isso tornará pior também aquele que, em decorrência, consiga mais dinheiro ou qualquer outro poder?

GLAUCO:
— Não é mesmo possível.

SÓCRATES:
— E como é possível afirmar que é conveniente agir mal sem ser descoberto e sem espiar? Quem consegue fazer isso, não se torna ainda pior? Pelo contrário, a parte animalesca daquele que não evita o castigo pode ser aplacada e domesticada e a parte doméstica pode ser liberada; assim, a alma em seu conjunto é reposta em sua melhor natureza e, adquirindo temperança, justiça e sabedoria, assume uma condição mais honrosa do que aquela que é assumida, quando o corpo cresce em vigor e beleza com a saúde, tanto quanto o espírito é mais precioso que o corpo.

GLAUCO:
— É verdade.

SÓCRATES:
— E ao menos o homem de bom senso não haverá de viver tendendo de modo total para esse objetivo, honrando em primeiro lugar aquelas disciplinas que podem tornar assim sua alma e deixando de lado as outras?

GLAUCO:
— Claro.

SÓCRATES:
— Mais, não haverá de viver para esse fim sem confiar o bom estado e o cuidado de seu corpo ao prazer bestial e irracional, sem se preocupar muito em ser forte ou sadio ou belo se, em decorrência disso não devesse tornar-se sábio, mas procurando abertamente realizar a harmonia física em vista do equilíbrio espiritual?

GLAUCO:
— Sim, se quiser ser um verdadeiro músico.

SÓCRATES:
— E não haverá de procurar o mesmo acordo e equilíbrio também em relação à posse de dinheiro? E não haverá de evitar o crescimento excessivo de seus bens, sob pena de atrair sobre si infinitas desgraças, sem se deixar deslumbrar pelo apreço da multidão?

GLAUCO:
— Acho que sim.

SÓCRATES:
— Atento para não perturbar seu equilíbrio interior pelo excesso ou pela escassez de bens, ele aumentará ou consumirá o seu patrimônio como puder.

GLAUCO:
— É verdade.

SÓCRATES:
— Olhando para o mesmo objetivo, haverá de aceitar algumas honras e haverá de saboreá-las, se as considerar capazes de torná-lo melhor, mas haverá de evitar aqueles reconhecimentos privados e públicos que, a seu ver, possam vir a destruir seu equilíbrio.

GLAUCO:
— Mas com essa preocupação, não haverá de querer dedicar-se à política.

SÓCRATES:
— Pelo cão! Ele haverá de se ocupar e de boa vontade, em sua cidade, mas talvez não em sua pátria, a menos que não apareça uma ocasião prodigiosa.

GLAUCO:
— Entendo. Você se refere àquela república de que descrevemos a fundação, mas que foi fundada somente em nossas palavras porque, eu acho, que no mundo não se encontre em parte alguma.

SÓCRATES:
— Mas talvez exista seu modelo no céu para quem estiver disposto a vê-lo e apoiar-se ele próprio nesse Estado. De qualquer modo, não importa se existe ou se foi destinado a existir: um homem desse tipo haveria de se ocupar somente desta cidade e de nenhuma outra.

GLAUCO:
— Talvez seja verdade.

Cabeça de Platão, feita por Silanion (370 a.C) para a Academia em Atenas.

COMENTÁRIOS POR CLÓVIS DE BARROS FILHO

Metáfora da formação filosófica

O escravo se libertou, saiu da caverna, enfrentou a luz, contemplou as ideias, inclusive o sol – a própria ideia do bem. Decidiu retornar para o seu interior, para relatar o que viu, o que viveu, e convencer os demais a fazer o mesmo. Enfrentou a escuridão, a hostilidade dos demais escravos e acabou sendo morto.

Mas, antes disso, ele deixa um legado. Como sair da caverna. A própria filosofia.

Ele conversa, argumenta, dialoga. Pelo diálogo, tenta fazer ver aos demais, de outro modo, aquilo que antes era só aparência. Fazer parir, em seus espíritos, alguma verdade. Mostrar-lhes como é árdua a saída da caverna.

Sair da caverna, o seu "passo a passo" é a metáfora da formação filosófica. Outras alegorias fariam o mesmo papel. Que tal pensarmos juntos em alguma?

***

Imagine que você estivesse de boa, na cobertura iluminada de um prédio de cem andares em Singapura. Ali, você vivia muito bem, feliz da vida, perto do céu. Nesse lugar, a vida era sem corpo, de pura intelecção.

Acho que você consegue imaginar uma vida assim, sem corpo. Você não come, não bebe, não evacua, não tem prazeres de mucosa, não tem dores, não faz abdominais etc.

– E essa alma sem corpo fazia o que exatamente?

Contemplava as ideias.

– Só isso?

– Só.

Aquela cobertura era o seu mundo, o mundo das ideias, a morada das almas.

Ali elas contemplavam figuras geométricas, suas áreas, equações, fórmulas, teoremas inteiros, bem como definições de justiça, de beleza, em suma, a verdade em todas as suas puras manifestações. A familiaridade entre almas e ideias naquele mundo era muito grande. Tratavam-se de tu.

Eis que, num belo dia, o elevador despenca. E, em queda livre, leva você, alma feliz, do centésimo andar para o centésimo do subsolo. Foram 200 andares num tempo de instantes. Uma desgraça. A luz vai sumindo em abrupto. As ideias ficaram lá em cima. Uma dramática ruptura. Sua alma foi arrancada à força do paraíso e jogada num poço de trevas.

Essa queda livre do elevador é a metáfora do seu nascimento. Sim, esse mesmo, do tapinha no bumbum, da visita dos parentes, do nomezinho na porta do quarto, do azul e do rosa etc. O centésimo subsolo é o endereço da maternidade. Nesses segundos de deslocamento acelerado, você ganhou um corpo e nasceu. A sensação é terrível. A alma, que na cobertura era livre, leve e solta, é subitamente aprisionada.

O corpo que o aprisiona, logo após o nascimento, lhe é asfixiante. Sufoca toda manifestação possível. Desloca-se com dificuldade, depende dos outros para tudo, e não consegue lhes comunicar com clareza aquilo de que precisa.

Não é à toa que os bebês, sem exceção, parecem furiosos ao nascer. É porque, para uma alma, pior, impossível.

Nunca as ideias estiveram tão distantes. Duzentos andares de distância. A alma, naquele corpo, não pensa, não conhece, não elabora e se esqueceu do que sabia. Encontra-se à mercê de desejos, apetites, inclinações, prazeres que a jogam de um lado para o outro com violência, como um caroço de azeitona solitário num liquidificador ligado.

E você, bebê "temperamental como o avô", segundo a definição de uma tal de vovó Raimunda, chora quando não tem o que quer e se enfada rápido daquilo que queria e passou a ter.

A insatisfação da alma com o nascimento é imensa. Sua existência atrelada a esse corpo, *soma* em grego, converteu-se mesmo num encarceramento, *sema*, também em grego.

Era preciso sair dali. E, como não parece possível abandonar esse corpo tão cedo, urge convencê-lo a viver uma vida um pouco melhor, isto é, mais próxima das ideias, da verdade. Mais perto da cobertura. Uma vida mais elevada, a mais parecida possível com aquela que sempre fora a sua.

Para isso, era preciso encontrar o elevador que os levaria de volta. Mas este, que a tirara de sopetão do seu lugar e que a trouxera em queda livre, se espatifara na queda. O único caminho remanescente para a cobertura era mesmo pela escada. Só no joelhinho, com seus 200 andares e seus 100 degraus entre cada andar. O caminho era longo e custoso.

Desafiador: eis o termo atual, usado pelos agentes do mundo do dinheiro, adestrados ao otimismo, para designar os cenários mais desfavoráveis à concentração do capital em próprio proveito. Sim. Duzentos andares são mesmo algo pra lá de desafiador. Ainda mais tendo que levar esse monte de milhões de células junto.

Só encontrar a entrada da escada já não foi nada fácil. Naquele centésimo do subsolo não havia, praticamente, luz. Não se via, portanto, quase nada. Era preciso ir tateando. O único guia em meio à escuridão era o contraste entre o mais e o menos escuro. Entre mais e menos sombra.

Nesse andar de trevas havia muita gente convencida de que a vida era mesmo ali. De que a falta de luz era o trivial. De que não havia por que mover uma palha para tentar se evadir. Pelo contrário. Os melhores ali no subsolo eram os mais aptos a se virar no escuro, a triunfar naquelas condições. E os que não estavam a gosto, querendo cair fora, não passavam de um bando de fracassados, derrotados e covardes.

Bem, esse parece ser o caso da sua alma, que protagoniza essas histórias. E essa entendeu que o modo mais suave de começar a subir as escadas era mesmo conversando, dialogando. Afinal, se na cobertura estão as ideias e as verdades, cada ilusão refutada, cada impressão falsa denunciada, cada crença compartilhada – enfim, entendida como mero interesse de alguns – correspondia a um degrau vencido. Uma coisa era certa: para alcançar aquela cobertura e regressar finalmente ao mundo das ideias, não havia mesmo elevador. Tampouco lá chegaríamos por acaso.

De fato. Não se tratava, aqui, de simplesmente ter uma ideia, como uma sugestão, dessas que vêm do nada à mente.

– Hummm, acabei de ter uma grande ideia!

– Qual?

– Que tal degustarmos um doce de abóbora cristalizado logo após o cinema?

Não, nada disso. As ideias de que estamos falando não têm nada a ver com esse doce de abóbora. As ideias da cobertura não se confundem com esse tipo de acontecimento fortuito na mente, correlato a um mero apetite de circunstância.

Para chegar à cobertura é preciso mesmo passar pela escada. Aquela 200 x 100. Eis o número de degraus. Eis a quantidade de etapas a vencer para ir do sensível ao inteligível. A quantidade de bobagens lógicas a evitar. Eis o currículo intelectivo em curso, a formação do filósofo que quer muito voltar para a cobertura ainda em vida. Ainda naquela vida, acompanhado de seu corpo.

E se lá chegar, encontrará os que já fizeram o mesmo percurso: os sábios. Esses já passaram pela escada. Esses não buscam mais nada. Já estão em plenitude. Enquanto isso, os meros filósofos, esses vão subindo em plena resiliência, degrau a degrau, andar a andar.

O consolo é que, ao longo dessa elevação, a luz vai se firmando. O percurso fica mais visível e a escalada se torna mais segura e mais deslumbrante. Ir vendo com mais clareza converte aquela subida numa busca mais e mais incontornável, do tipo sem volta possível.

Além da luz e do deslumbramento, a cada andar, o corpo vai sendo educado, e aborrecendo menos, equanto a alma vai assumindo o comando em definitivo, de modo que, se por acaso, já próximo da cobertura, o corpo não resistir – ele já importava tão pouco mesmo – de seu perecimento definitivo, o filósofo talvez nem se dê conta.

Ou quase.

***

Uma palavrinha sobre a forma dialogada desse texto platônico que apresentamos.

O modo como Platão apresenta seu pensamento pode parecer facilitador. O gênero literário, com preferência para diálogos e cartas, faz crer que suas principais ideias estão ao alcance de uma leitura rápida.

As discussões, entre os diversos protagonistas, a respeito de temas tidos por familiares – como a beleza, a coragem, a amizade, a justiça, o conhecimento – sugerem compreensão sem maiores dificuldades.

Nada mais equivocado.

Por trás da despretensão epidérmica dos mitos e alegorias – repletos de imagens heurísticas e acolhedoras –, o estudioso de Platão vai aos poucos descobrindo um edifício filosófico profundo e complexo.

***

Outra palavrinha, agora, sobre a importância do autor.

Há quem tenha tido os primeiros contatos com o pensamento filosófico ainda na escola. Seja no ensino fundamental, seja no médio. Há também aqueles que tiveram alguma disciplina filosófica já no curso superior. E finalmente há também os que optaram por um curso de graduação em filosofia. Quem sabe até uma pós, como mestrado e doutorado. São momentos de maturidade intelectual e níveis de profundidade muito diversos em cada uma dessas situações.

Mas seja qual for o caso, Platão esteve presente. Seja de modo mais explícito, com a leitura de seus diálogos e cartas e o estudo de seus conteúdos, seja indiretamente, por exemplo, pela reflexão filosófica de temas da atualidade que remeteram à busca da verdade, a ideias, à desconfiança da observação empírica, à dualidade corpo e alma, às condições de uma pólis justa etc.

Para muitos, Platão é o primeiro grande pensador da nossa tradição ocidental de pensamento. Em especial porque Sócrates, seu mestre, não nos deixou nada escrito. Assim, a propriedade intelectual das ideias de um e de outro permanece incerta e objeto de acalorados debates.

Para outros, Platão é mais do que o primeiro. É também o mais influente pensador do mundo ocidental. E não faltará quem ainda proponha tratar-se do maior filósofo que já houve. Mas Platão não nadava de braçada sem oposição ou rivais. A vida filosófica de Atenas entre o quinto e o quarto séculos antes de Cristo contava com muitas escolas de pensamento.

Com efeito.

Para além da academia, escola onde Platão e seus discípulos filosofavam e ensinavam a fazê-lo, havia também o Liceu de Aristóteles, os que ficavam na Stoa (porta da cidade) ditos estoicos, os do Jardim de Epicuro, os atomistas, os cínicos e também os sofistas. Isso para ficar nas mais conhecidas e não entupir o leitor de nomes que, às vezes, grudam na mente.

Foi dito que ocupar-se da cultura ocidental corresponde a fazer anotações de pé de página à filosofia de Platão. Haverá exagero? Algum, seguramente. Haverá pertinência? Com toda a certeza. O que nos permitiria supor que, comentando o mais conhecido texto da filosofia platônica, O Mito da Caverna, estejamos talvez jogando luz sobre os pilares mais robustos e consistentes do pensamento do Ocidente.

***

A palavra "filosofia" significa – a partir do significado das partes que a compõem – amor pela sabedoria. "Filo" significa amar. E "sofia" significa sabedoria. Esse amor deve ser entendido no sentido de busca. Atividade de quem "vai atrás" de algo sem saber exatamente onde está. Por isso mesmo, o filósofo não pode ser confundido com o sábio. Porque esse último não vai atrás de nada. Talvez já tenha ido um dia. Quando ainda era filósofo.

Essa busca da sabedoria empreendida pelo filósofo é bem especial. E não exclui outras possíveis, como a da religião e da mitologia. A especificidade dessa busca filosófica da sabedoria é a verdade. Não estamos, de jeito nenhum, dizendo com isso que os discursos não filosóficos sejam necessariamente falsos. Apenas que, no caso da filosofia, a busca racional da verdade corresponde ao caminho único e mais que necessário para alcançar a sabedoria.

Desse modo, arriscamos uma definição primeira de filosofia, não muito distante da proposta pelo sábio Epicuro:

Atividade do pensamento que tem a linguagem e o discurso como matéria-prima, a busca da verdade como caminho obrigatório e a sabedoria – ou a vida boa a ela inerente – como fim.

A filosofia é, portanto, um esforço para definir a vida boa. O sábio é aquele que a vive. Mas essa vida boa e essa sabedoria, buscadas pelo filósofo, não requerem intervenção ou "ajudinha" de um ente transcendente qualquer.

O sábio salva a própria vida de suas mazelas, de suas agressões, de suas dores e, sobretudo, de seus temores. Tudo isso apenas com os recursos da própria inteligência.

***

O filósofo empreende, portanto, uma busca laica de uma certa felicidade. Uma vida que valha a pena ser vivida, que compense suas penas. Essa vida boa ou feliz pretendida pelo filósofo – e vivida pelo sábio – vai muito além da moral.

Nisso insiste, com a competência de sempre, o filósofo Luc Ferry. A diferença entre valores morais e valores que ele chama de espirituais.

Se entendêssemos a moral, de modo bastante direto, como respeito pelo outro e querer-lhe o bem – uma questão de respeito e bondade, portanto –, sugere o francês que essas questões nada teriam a ver com os grandes problemas existenciais.

De fato. Os grandes entraves da vida propriamente dita, como a morte, o luto de um ente querido, o envelhecimento, o tédio, o desespero, a ansiedade, tudo isso tem enorme importância. Têm, assim, imenso valor, mas não dizem respeito, nem remotamente, à moral.

Em outras palavras, nada impede que um ótimo marido seja traído pela esposa ou vice-versa, um santo seja brutal e injustamente agredido, um generoso seja roubado, um caridoso adoeça, um benemérito se entedie, um altruísta se deprima, um voluntário seja humilhado, um filósofo seja condenado à morte.

Metáfora da filosofia política

Estamos no início do livro VII da *A República*. Platão apresenta uma imagem e propõe uma comparação entre ela e a nossa condição. Trata-se de uma metáfora que se ocupa do nexo entre verdade e liberação, de uma conversão da alma, da relação entre educação e deseducação, entre formação e falta de formação.

Peço que você imagine uma morada subterrânea em forma de caverna. Com uma entrada – por onde passa a luz – tão ampla quanto a largura daquela. No seu interior encontram-se algumas pessoas que nunca saíram dela, a ponto de ignorarem a existência de um exterior. Confundem, portanto, o interior daquela morada com o mundo. Estão acorrentados pelas pernas e pelo pescoço. Constrangidos a olhar, desde sempre, para a frente.

Ali mesmo, outras pessoas, por detrás de um muro, levantam figuras, estátuas e objetos, para que, graças à luz, suas formas sejam projetadas na parede, no fundo da morada, como sombras. Têm plena consciência do que é realidade, os objetos por elas expostos à luz por cima do muro, e o que são as meras sombras, tomadas por realidade pelos escravos acorrentados. Essas sombras, para as quais os presos estão condenados a olhar, são, para qualquer um que está ciente do que acontece, como um espetáculo cinematográfico.

***

O Mito da Caverna inspirou a literatura. A título de exemplo, Saramago escreveu um romance intitulado *A Caverna* tratando da dualidade aparência e realidade. Inspirou também o cinema. Filmes como *O Show de Truman* e *Matrix* são explicitamente inspirados na alegoria platônica.

Trata-se de uma metáfora do percurso formativo do sapiente. A pólis ideal, ou justa, segundo Platão, deve ser por ele governado. Na falta de sábios, que seja governada por quem ama e busca a sabedoria, isto é, o filósofo.

Logo, para Platão, importa identificar a formação adequada para um filósofo, candidato a sábio. Disso depende a existência de governantes preparados para governar com excelência. Uma formação que permitiria ao homem deixar a sua condição de escravo e converter-se em homem livre, em filósofo.

***

Platão, na contramão do nosso entendimento contemporâneo, estabelece entre filosofia e política um vínculo necessário, de modo a não conceber uma sem a outra. Isso porque a filosofia, tal como ele a entendia, teria que dizer respeito, intimamente, às coisas da pólis, isto é, toda atividade filosófica teria, necessariamente, que se debruçar sobre a gestão e os assuntos da cidade.

Da mesma forma, a atividade política teria que se servir dos aportes da filosofia.

Aliás, a biografia do autor aqui ajuda muito. Foi a experiência da injustiça política que lhe inspirou a necessidade da filosofia. Afinal, na sua pólis, o mais justo dos homens, Sócrates, fora julgado e condenado à morte.

***

Nos diálogos de Platão, os discursos enunciados pelos diversos interlocutores podem ter duas finalidades diferentes, ou melhor, dois tipos de finalidades.

No primeiro tipo de discurso presente nos diálogos, o que seus oradores pretendem alcançar é de natureza epistemológica: o conhecimento por ele mesmo. Trata-se da finalidade mais nobre, presente, quase sempre, nas intervenções de Sócrates.

O filósofo procura, nesse caso, um conhecimento supostamente seguro, tomado por verdadeiro e resistente às particularidades históricas, geográficas, sociais e políticas. Um conhecimento que, para falar de forma simples, é considerado válido sempre e em qualquer lugar.

O segundo tipo de discurso busca a mera persuasão de seus interlocutores, a adesão do auditório e, para tanto, a sua sedução. Nesse caso, o orador abandona toda pretensão a alguma verdade, importando-lhe, tão somente, o aplauso final, e tudo o mais que esse último possa lhe assegurar.

O que ele busca é seduzir e obter apoio, aceitação, consentimento. O foco, como se diz, é no resultado. E o resultado aqui requer o suporte dos ouvintes. Muitos ouvintes, talvez.

Para lograr esse intento, diz-se o que for preciso. O que tiver que ser dito, mesmo que se trate de mentira, engano, ilusão, falsidade. Isso vale, por exemplo, para o orador na Ágora, que sugere esse ou aquele destino para o dinheiro público.

Tal como o investimento em armas para o exército em guerra; ou em recapeamento das vias públicas, a cada dia mais esburacadas; ou ainda em novos espaços de formação intelectual, onde os jovens possam capacitar-se a bem governar.

Esse discurso eminentemente persuasivo vale também para um candidato que, em busca de votos, jura lutar pelo eleitor, pelo país, pela pátria acima de tudo; ou para um gestor de capital privado que, em busca de motivação, resiliência e iniciativa, garante que a empresa é como uma família, na qual o que importa são as pessoas.

Finalmente, esse tipo de discurso vale também para um galanteador qualquer que, para obter carinhos íntimos e a posse do corpo desejado, afirma tratar-se, o abordado, do seu grande amor, aquele da vida toda; garante sonhar todas as noites com o matrimônio e antecipa o nome dos filhos, em alinhamento com os afetos da vítima.

✱✱✱

O MITO DA CAVERNA

O Mito da Caverna, apresentado por Platão no livro VII de *A República*, enriquece o entendimento das primeiras linhas da obra. Seu pleno entendimento requer alusão constante às ideias filosóficas mais profundas, presentes em toda a obra do autor.

O relato de *A República* tem início com Sócrates a caminho do Pireu. Porto de Atenas que se encontra, enquanto topografia, abaixo da Acrópolis. Por isso, Sócrates afirma ter descido, no dia anterior, até o referido porto, onde teve início toda a discussão sobre a justiça, tema central da obra.

Esse termo "descida", *katabasis* em grego, nos interessa aqui. No imaginário grego, ele é usado, preponderantemente, para indicar a descida ao reino dos mortos. Em *Odisseia*, Homero descreve, com riqueza de detalhes, a visita de Ulisses a esse mundo das almas desencarnadas.

Ora, por que Platão vai se servir desse termo, logo nas primeiras linhas de sua obra, para apresentar essa particular iniciativa de Sócrates de acudir ao porto e refletir sobre um dos temas mais importantes de toda a filosofia?

Podemos arriscar aqui alguma hipótese de interpretação.

O filósofo – que, como vimos, para Platão, busca a verdade na pólis e para a pólis – deve realizar uma descida a um mundo onde as pessoas vivem, convivem, interagem e buscam, a todo instante, a satisfação de seus interesses. Um mundo de pretensões contraditórias e, portanto, de conflitos. Assim é a vida na pólis.

O filósofo não deve, portanto, ensina Platão, permanecer na marmórea e segura torre do hiperurânio. O filósofo deve descer ao Ades.

***

Muitos entendem que esse primeiro livro, *A República*, deve ser tomado por um texto à parte ou independente, cujo título bem poderia ser Trasímaco. Afinal, sua tese assume a centralidade do capítulo. Importa-nos muito aqui o que diz Trasímaco porque sua ponderação é válida para a reflexão que atravessa toda a obra.

E qual é a sua tese?

Toda tentativa de buscar um universal, aquilo que faziam Sócrates e seus interlocutores no Pireu, no fundo esconde o interesse particular que está na sua origem.

Ou seja:

Aquilo que buscamos ou afirmamos ser o justo universal, isto é, justo em todo tempo e lugar, em qualquer situação e momento histórico, na verdade não passa do que é útil ao mais forte naquele lugar, naquela sociedade, naquele momento.

O interesse da força dominante – em vez de ser apresentado como tal – vem transformado em solução justa universal, isto é, válida para qualquer caso. Jamais, portanto, como resultante de uma imposição, dominação ou exercício de poder.

Para atualizar um pouco a proposta, diríamos que toda dominação simbólica será tanto mais eficaz quanto menos clara for a índole arbitrária do seu suposto fundamento.

Nessa dicotomia entre o verdadeiro e o ideológico, Trasímaco defende que o suposto verdadeiro é sempre ideologia. O interesse particular se esconde enquanto tal e se apresenta como lei universal válida para todos.

Nesse caso, todo universalismo não passaria de uma estratégia de legitimação, de tornar aceitável ou até necessário um certo estado de supremacia de alguma das partes nos conflitos e relações de forças de que participa.

**

Sócrates reagirá a essa tese. Um dos grandes desafios de *A República* é justamente o de refutar Trasímaco, isto é, propor a existência de um justo universal, que não seja mero disfarce para a primazia dos interesses dos dominantes.

Desse modo, toda *A República* se dedica a encontrar um verdadeiro universal, que não seja mera estratégia de conservação de uma dominação, mas que corresponda a uma verdade para além das situações, circunstâncias e cenários históricos, sociais e políticos particulares.

O Mito da Caverna, aqui apresentado, é um momento nobre, um ponto alto dessa refutação de Trasímaco.

A formação filosófica, representada na alegoria pela saída da caverna, capacitaria o antigo escravo a uma vida livre, emancipada do estrito particular, e apta a identificar e conviver com as ideias, os eidos, isto é, com o que supera o sensível – e o particular – no sentido do inteligível.

Se para Trasímaco toda pretensa verdade filosófica não passa de um biombo para melhor esconder os interesses por ela defendidos, o Mito da Caverna ensina, com seu paralelismo alegórico, que nem tudo na busca da verdade filosófica se reduz a um ocultamento de interesses. Isto é, nem tudo na vida do espírito, na atividade cognoscitiva, está a serviço do mais forte, do poder e da dominação.

Assim, o fim do sofrimento infantil ou a abolição da tortura podem perfeitamente ser apresentados como universais, no sentido de que seriam válidos como valores a qualquer tempo e lugar.

Metáfora da filosofia do conhecimento

O que representa o interior da caverna?

Representa o mundo das coisas. Não as coisas por elas mesmas, perceba bem, mas sim as coisas tais como elas se apresentam diante de nós. Tais como elas se deixam perceber pelos nossos sentidos. Por isso mesmo, diríamos que o interior da caverna corresponde ao mundo sensível, ou mundo das coisas sensíveis.

O Mito da Caverna é a metáfora maior da filosofia do conhecimento. Arquétipo da filosofia no seu sentido mais amplo. A mensagem é clara: a verdade liberta; a ignorância aprisiona.

O filósofo, tal como Eros, desejante de uma sabedoria que lhe falta, busca libertar-se da ignorância, sair da caverna, mover-se em direção à luz. Liberdade essa de corpo, quebrando as correntes, e de alma, questionando a doxa, as convenções e as crenças compartilhadas. Liberdade física e semiótica, de movimento e de pensamento, enquanto que o sofista é aquele que, segundo Platão, estaria nas trevas e nelas deseja permanecer.

O Mito da Caverna torna-se fundador de toda tradição de pensamento ocidental. A influência pode ser encontrada em qualquer lugar para onde apontarmos a lanterna. Nos textos bíblicos, encontramos sempre que "a verdade liberta".

Kant, em 1783, em *O que é o Iluminismo*, define esse último como "saída", "ausgang", abandono de uma condição de minoridade, responsabilidade de cada um de nós, chamados a sair da caverna em que nos encontramos, servindo-se da própria razão.

Iluminismo, ensina Kant, implica passar a pensar por conta própria. Adquirir condições intelectivas para isso. Não ser mero repetidor de discursos alheios. Não permanecer de joelhos ante argumentos de autoridade.

***

Nesse mito, Platão elabora uma construção filosófica libertadora. Seu alvo maior será o discurso do sofista, que não busca verdades universais, não crê na sua existência e ainda denuncia o que estaria por trás do intento filosófico. A verdade, para os sofistas, seria sempre relativa aos interesses de quem a persegue.

Platão investirá na oposição a esse relativismo sofista todo o seu esforço intelectual. Não acreditamos possível sequer dar início ao estudo do pensamento de Platão sem considerá-lo a partir desse propósito remanescente.

Nesse enfrentamento, Platão refutará vários sofismas. Esses últimos estavam sempre na boca do povo e serviam de arma fácil para os detratores do trabalho filosófico.

***

Comecemos por um gracioso. À guisa de exemplo.

Suponha que esteja a morar na cidade do Porto. E diga que todo morador dessa cidade é mentiroso. Sem dizer mais nada, já nos posicionamos numa sinuca das boas. E por quê?

Ora, se eu estiver dizendo a verdade, a afirmação é falsa. Afinal, nem todo morador do Porto mente o tempo todo, como eu mesmo estou a comprovar com minha afirmação verdadeira. E se eu estiver a mentir, alinhando minha conduta de morador da cidade à afirmação de que todos ali são mentirosos, ela também é falsa porque estou a mentir.

Bem, agora que já nos distraímos com essa charada, passemos a um exemplo de sofisma mais relevante para os propósitos do filósofo. Observe bem a seguinte afirmação: "Se buscamos ou procuramos a verdade, não podemos jamais encontrá-la. Por definição".

Você lê e relê e conclui: não percebi. E eu estou contigo nessa. Afinal, já perdi chinelos, procurei bem e os encontrei em lugar insólito, carregados que foram pelo Saïd, cãozinho salsicha de tantos amores e alegrias. Qual o problema de procurar?

Lembro do velho Clóvis de Barros, que dizia sempre: quem procura, acha, referindo-se, suponho, a dados de realidade de que não gostaríamos de ter conhecimento ou que existissem.

Para encontrar algo, é preciso ter na mente algo que represente o que se está procurando. Quando alguém pede para passar a travessa de arroz ou trazer o refrigerante da geladeira, a solicitação só poderá ser atendida se houver tangência entre a mente – que elabora alguma representação da travessa e do refrigerante – com a percepção visual de ambos no mundo das coisas sensíveis.

No aeroporto, procuramos e encontramos o portão 43 porque reunimos o número visto na placa com o mesmo número imaginado em nossa mente. Desse modo, algo em nós, simbolizando o número do portão, permite a identificação.

Da mesma forma, quando combinamos com um pretendente na porta do cinema, só conseguiremos identificá-lo e, portanto, encontrá-lo se houver alguma coincidência entre o mundo imaginado e o mundo percebido, isto é, pontos de aproximação, de semelhança entre aquela pessoa – tal como a concebemos sem vê-la – e a mesma pessoa tal como a visão permite percebê-la naquele flagrante específico. Ou seja, naquele lugar, vestida daquele modo, com os cabelos dispostos daquele jeito e tudo o mais que possa afetar aquela percepção.

Claro que nunca haverá coincidência absoluta entre o mundo imaginado e o mundo percebido. Ela será sempre parcial e relativa.

O primeiro resulta de uma síntese de experiências pretéritas construída por quem imagina, considerado tudo de contingente que possa afetá-lo no momento em que se encontra. Já a percepção também dependerá das condições materiais daquela experiência, perspectivas, distâncias, deficiências visuais, assim como os dados de realidade oferecidos à percepção por parte da pessoa percebida.

Por outro lado, não havendo coincidência suficiente entre o que se imagina e o que se percebe, a identificação ficará comprometida.

– Nossa, de onde estou não vi que você era você.

– Puxa, com esse cabelo curto jamais reconheceria.

– Nossa, como emagreceu! Se você não tivesse me visto aqui, não teríamos nos encontrado.

Ao dar o exemplo do portão do aeroporto, cabe aqui uma anedota finíssima, já contada alhures.

***

Acabamos de aterrissar no aeroporto Hercílio Luz, em Florianópolis. Um bate e volta para palestra presencial em tempos pré-pandêmicos. No desembarque, um motorista estaria à minha espera. Sem nunca tê-lo visto, precisaria de um instrumento de identificação. Algo que, estando na minha mente, me permitisse encontrar esse certo alguém que não conhecia, em meio a muitas outras pessoas. Uma placa com o meu nome, por exemplo – a solução mais recorrente.

Mas eis que o motorista, ao confeccionar a placa, decidiu inovar.

Um parêntese: para os que consideram a inovação – por ela mesma – um valor, fica a advertência. O novo, por si, é só novo. Existe há pouco tempo. Nada impede que seja patético, inadequado e estúpido.

Retomando. O criativo transportador humano registrou na placa o seu próprio nome, que eu ignorava. Ao se justificar, foi esse mesmo o seu argumento.

O meu nome, Clóvis, eu já sabia de cor e salteado. Não havia por que repetir ali essa informação. Já o dele, José Carlos, esse sim, valia a pena destacar.

Eis a causa do fracasso daquela iniciativa.

Um instrumento de identificação não se confunde com uma informação. Para uma identificação exitosa, apela-se para um dado de realidade supostamente conhecido pelo agente da identificação.

Não há que esperar, portanto, numa simples identificação, nenhum alargamento de repertório dos envolvidos. Trata-se de encontrar no mundo o que já se conhece no espírito. Por isso mesmo, não foi nada fácil divisá-lo em meio aos outros, seus colegas, mais convencionais, que em suas placas registraram o nome do passageiro visitante.

∗∗∗

Tudo isso para deixar claro que com a verdade não funciona do mesmo modo que com os chinelos. E a culpa é do salsicha Saïd.

Eu me explico:

Um chinelo, você já viu. Sabe o que é. Se ele sumir, de fato, e você voltar a vê-lo, o identificará com facilidade.

O mesmo não acontece com a verdade. Tampouco com o motorista em Florianópolis. Quem a procura, nunca a viu. Não sabe do que se trata. Se a tivesse visto, não a procuraria. Porque já a teria consigo. A verdade, o Saïd não pode marotamente esconder. Por isso disse que a culpa era mesmo dele.

Ora, se quem procura a verdade é porque nunca a viu e não sabe do que se trata, tampouco conseguirá identificá-la se eventualmente se aproximar dela. Tal como no desembarque. Sem falar da dificuldade de ir atrás de algo que não se sabe bem o que é.

Viu só?

O que acabamos de explicar tem particular relevância no caso de o investigador do discurso verdadeiro, o procurador da verdade, ter que distingui-la em meio a outros tipos de discurso, por exemplo, como os discursos de mera opinião, os discursos dóxicos, estritamente escorados na aparência das coisas.

Faltar-lhe-á um critério para a identificação. Critério esse que na etimologia vem do grego "separar", tal como crise e crítica.

O que, no papo reto, estamos querendo dizer é que ninguém consegue identificar a verdade se já não a conhecer, isto é, se já não a tiver consigo. Ora, isso de fato é incompatível com procurá-la. A quem se lhe ocorreria procurar por algo de que já dispõe?

Um sofisma desse quilate dava combustível de sobra a todos aqueles que viam na busca filosófica da verdade uma falácia. Servia de argumento para deslegitimar a postura, o método e a pretensão do filósofo em seu trabalho com as ideias.

Se o filósofo busca a verdade e essa, por definição, não é encontrável ao ser procurada, conclui-se com facilidade que, ou se trata de um abilolado, cuja atividade é inócua e sem sentido, e ele disso não se dá conta, ou, então, está, com essa busca da verdade, escondendo suas verdadeiras intenções.

***

Platão, claro, responde a tudo isso. Arriscamos dizer que sua teoria do conhecimento foi pensada dessa resposta. A única saída é fazer da verdade um chinelo. Ou colocar o nome do passageiro na placa do motorista. Foi o que ele fez. Procuramos a verdade, mas dispomos de meios para identificá-la. Pronto. Sabe por quê? Porque ela já se encontra em nós. Na nossa alma.

Desse modo, quando você dá tratos à bola e usa a razão para saber o que é o belo, o justo, o magnânimo, a coragem, a amizade, a honestidade ou qualquer outra noção, você – ao esbarrar na verdade sobre ela – sabe que aquilo que pensou é mesmo verdadeiro. Ou seja, você identifica a verdade, a respeito do que está a investigar, naquilo que acabou de pensar.

Mas aí surgem no seu espírito as perguntas que qualquer um faria:

Ninguém precisa procurar um chinelo que já tem nos pés. Tampouco um motorista em cujo carro já se encontra.

Ora, se cada um de nós já tem consigo a verdade, a troco do que estaria a procurá-la, dialogando com as pessoas, fazendo grandes esforços de pensamento?

E tem mais:

É absurdo não encontrar um chinelo que já está em uso por aquele que o procura, tanto quanto um motorista que já conduz o veículo em que se está. Nem um cego passaria por isso. O autor deste texto tem deficiência visual severa e sabe do que está falando.

Ora, o mesmo não acontece com a busca pela verdade.

E, por isso, perguntamos intrigados: se a verdade já se encontra em nossa alma, a que atribuir o fracasso, bastante comum, aliás, nas buscas filosóficas?

E veja, não estamos falando somente de um fracasso em pessoas especialmente despreparadas, como um cego de mente, digamos. O autor deste texto encontra-se, no mais das vezes, nessa condição e, portanto, também sabe do que está falando.

Estamos falando de Sócrates, o pai fundador de um modo de pensar que perdura até hoje. E, nesse caso, encontrar-me-ia muito bem acompanhado.

Sem nenhuma comparação em vista, claro. Um jogador da 24ª divisão poderia perfeitamente se fazer acompanhar de um craque da seleção e até enfrentá-lo em um eventual jogo de Copa.

***

A explicação chega em grande estilo. É a teoria platônica da anamnese. Venha comigo agora. Segure na minha mão e não largue de jeito nenhum.

Antes do nosso nascimento, ensina Platão, nossas almas, que são imateriais e eternas, viviam em companhia íntima da verdade, num tal "mundo das ideias". Não se trata propriamente de um lugar geográfico, digamos, porque almas não precisam disso, já que não ocupam espaço.

Essa convivência com as ideias é apresentada por Platão de modo muito positivo. No mundo ideal, as almas estão em casa, em condição muito favorável, de boa mesmo. Platão sugere que ambas têm tudo a ver uma com a outra. Que há familiaridade entre elas.

Poderíamos arriscar ir mais longe. Quando é que uma alma está bem?

Quando está completamente em seu mundo. E o seu mundo é compartilhado com as ideias. Por isso, toda alma em seu mundo é 100% contemplativa. E esse é o cenário ideal para ela. Não faríamos feio se propuséssemos que almas são entes que, no mundo inteligível, contemplam ideias.

Não custa lembrar que as almas, enquanto estão no mundo das ideias, encontram-se desprovidas de todo corpo, e, portanto, distantes de qualquer sensorialidade. Nada de ver coisas, ouvir sons, tatear superfícies etc. Essas faculdades próprias de corpos, são, para Platão, fonte de muitos enganos.

O mundo da alma é puramente inteligível. E nele contempla as ideias à vontade. Não só as mais abstratas – perseguidas por Sócrates em seus diálogos –, mas também as mais próximas do que percebemos no mundo sensível, como as ideias de cadeira, de mesa, de galinha e de chatice.

Mas como seria essa contemplação se as almas não dispõem de sentidos? Contemplar o pôr do sol implica ficar olhando. E por algum tempo. Contemplar um quadro também.

Ora, essa contemplação das ideias por uma alma sem corpo, no mundo que as reúne, é forçosamente diferente da contemplação do pôr do sol a que você se referiu.

Mas você não precisa esperar que sua alma desencarne para compreender essa diferença. Dá para ter uma boa noção aqui mesmo, enquanto os olhos do corpo e os olhos da alma operam em simultâneo.

Quem nunca teve um lindo sonho de amor? Quem nunca fantasiou situações excitantes na hora das intimidades? Ou imaginou parceiros mesmo nos prazeres solitários? Nem sonhos nem fantasias fazem parte do mundo sensível. E, ainda assim, podem ser contemplados. Na mente e pela mente.

Claro que as ideias, eidos, a que se refere Platão, não se confundem com nada disso. São mais dificilmente imagináveis enquanto construção figurativa.

Ainda assim, é possível admitir que essa mesma alma que reproduz cenas em seu imaginário, ou que simplesmente as constrói, pode também trabalhar com palavras, com conceitos, com definições e, desse modo, contemplar os tais eidos de Platão.

**CONFIRA NOSSOS
LANÇAMENTOS AQUI!**

Camelot
EDITORA

CamelotEditora